A FRENCH VOCABULARY FOR ADVANCED LEVEL

By the same author

A French Vocabulary For Ordinary Level

A FRENCH VOCABULARY FOR ADVANCED LEVEL

NEW EDITION

I.C.Thimann

B.A., B.Com., Ph.D.

former Chief Modern Language Master
Nottingham High School

Nelson Harrap

Thomas Nelson and Sons Ltd
Nelson House   Mayfield Road
Walton-on-Thames   Surrey   KT12 5PL   UK

51 York Place
Edinburgh EH1 3JD   UK

Yi Xiu Factory Building
Unit 05-06   5th Floor
65 Sims Avenue Singapore 1438

Thomas Nelson (Hong Kong) Ltd
Toppan Building 10/F
22A Westlands Road
Quarry Bay   Hong Kong

Distributed in Australia by

Thomas Nelson Australia
480 La Trobe Street
Melbourne Victoria 3000
and in Sydney, Brisbane, Adelaide and Perth

© I. C. Thimann 1963, 1985
First published by George G. Harrap and Co. Ltd 1963
(under ISBN 0-245-54145-7)
Reprinted eighteen times
New edition published by Thomas Nelson and Sons Ltd 1985
Reprinted 1986

ISBN 0-17-445093-1
NCN 29-KLA-3763-02

Printed and bound in Hong Kong

Foreword

THE transition from Ordinary Level French Essays to those of the Advanced Level is a difficult one. Students who have 'written up' stories from a plan, or from a set of pictures, or who have merely reproduced anecdotes read to them, are in very difficult country when asked to produce three hundred and fifty words on a subject such as *L'Influence de la Télévision* or *Ma Maison Idéale*—let alone on an abstract topic.

I believe that Advanced Level candidates will be greatly assisted if, during their two or three years in a Sixth Form, they have written essays on some of the topics in this book, using the extensive vocabularies and phrases provided. Most of the topics have been suggested by the essay subjects set by the various Examining Boards during the last few years.

Some teachers build up a Free Composition by oral methods—*i.e.*, by constructing the nexus of an essay as a result of question and answer. Others favour the study or learning of passages in French on the same theme which can, by fair means or foul, be introduced into an essay: thus a passage from *Vol de Nuit* or *Pêcheur d'Islande* may be read before beginning a composition that centres on Aviation or the Sea. Yet neither of these methods affords that practice in *improvisation* so necessary to examinees. It is probable that, under examination conditions, candidates will have to make an entirely new plan; and the special vocabularies which they have learned will be the only straw at which they can clutch.

One possible advantage of the present book is that, as a result of reading a large number of current books and periodicals, I have been able to supply a vocabulary that is rather more up to date than that of the average dictionary or Sixth Form course.

As far as is possible, nouns are grouped together under various headings; verbs and adjectives, as well as nouns, are given, as are the relevant phrases or idioms. Indications are also given of the difference between the various French words recorded as the equivalents of an English one. It is unhelpful, to put it mildly, to write: time-table—*un horaire, un indicateur*. Unexplained French equivalents may, indeed, do the student more harm than good, and will certainly aggravate the task of the marker.

For abstract topics, such as the well-worn *La Fin justifie les Moyens*, it is practically impossible to give special vocabularies, but the list of phrases suited to reasoned or reflective writing should prove useful.

Sixth-Form teachers are constantly urging their pupils not only to make an essay plan *before* writing but to re-read *after* writing, in order to eliminate minor slips and grammatical errors. Candidates themselves should see to it that their language is reasonably varied, and if they will study the section entitled 'Enrich your French!' (p. 83 *ff.*) they should go some way towards attaining this end.

To keep this work as slight as possible, I have avoided all the simpler words and expressions that a candidate ought to know on entering the Sixth Form—they may, in any case, be found in Harrap's *A French Vocabulary for Ordinary Level*. The same word, however, may well appear in different sections of the present work—*e.g.*, *l'écran* under the subject heading of Cinema, War, and Television.

Finally, as there is, for purposes of vocabulary, no water-tight compartment between Free Composition and Translation into French, this book should provide useful material for the latter activity.

New Edition
New words have been introduced throughout the book, some words have been removed and several new sections added.

I.C.T

Contents

Word and phrase lists and essay topics

1 Architecture L'Architecture (f.)

Cathedral or Church
column la colonne
pillar le pilier
capital le chapiteau
vault (of ceiling) la voûte
Roman (Norman) arch l'arc en
  plein-cintre
Gothic arch l'arc en ogive
base le socle
flying buttress un arc-boutant
doorway le portail
gargoyle la gargouille
spire la flèche
tower la tour
apse une abside
pulpit la chaire
stained-glass window le vitrail
  (pl. les vitraux)
altar un autel
rose window la rosace
belfry le clocher
nave la nef
aisle le bas-côté
choir le chœur
transept le transept
clerestory la claire-voie
organ un orgue
cemetery le cimetière
tomb la tombe (grave); le
  tombeau (gravestone)

Castle
turret la tourelle
wall la muraille (for defence)
drawbridge le pont-levis
keep le donjon
loophole la meurtrière
moat le fossé

Sections of Building
front la façade
rear le derrière

view la perspective
ground floor le rez-de-chaussée
first storey le premier étage
area la superficie
height la hauteur

People
architect un architecte
sculptor le sculpteur
bricklayer; mason le maçon

Public Building
hospital un hôpital
public library la bibliothèque
town hall l'Hôtel de Ville (m.),
  la mairie
block of flats un immeuble
museum le musée
high-rise, skyscraper le gratte-
  ciel

Adjectives
shaded (by) ombragé (de)
topped (by) surmonté (de)
majestic majestueux
deplorable lamentable
ugly laid, hideux
imposing imposant
graceful gracieux
spacious spacieux

Verbs
to contain renfermer
to loom up, rise up se dresser
to tower above dominer
to erect ériger
to set off rehausser, mettre en
  relief
to demolish démolir
to commemorate commémorer
to project fair saillie, saillir
to look out on donner sur

to **draw up (a plan)** dresser (un plan)
to **be suited to** convenir à

Idioms
to **be out of proportion** être mal proportionné
you get to it by ... on y accède par ...
a **building in very bad taste** un bâtiment d'un goût détestable
the **park adjoins it** le parc y fait suite
to **cover an area of** ... s'étendre sur une superficie de ...
to **date from the 17th century** dater du (remonter au) dix-septième siècle
one of the **finest buildings as regards height** un des plus beaux bâtiments quant à la hauteur

to **come into view** s'offrir aux regards
to **be hemmed in by the surrounding buildings** être étouffé par les bâtiments voisins
a **relic of past glories** un vestige d'une gloire disparue
to **look like a prison** présenter l'aspect d'une prison
to **look out of place** avoir l'air déplacé

Essays
Description d'une cathédrale (ou, d'une église).
Le plus beau bâtiment de ma ville (ou, que je connaisse).
Les impressions que vous inspire la visite d'un château historique.

See also 37. Town.

2 Army L'Armée (*f.*)

Ranks
rank le grade
private le simple soldat
N.C.O. le sous-officier
corporal (infantry) le caporal
sergeant le sergent
sergeant-major un adjudant
second-lieutenant le sous-lieutenant
captain le capitaine
major le commandant
brigadier-general le général de brigade
lieutenant-general le général de division
general le général d'armée
field-marshal le maréchal

People
guard le garde
conscript le conscrit
recruit la recrue
sentry la sentinelle
orderly le planton

infantryman le fantassin
civilian (e.g., clerk) le civil
retired officer un officier retraité
war correspondent le correspondant de guerre, aux armées
spy un espion
War Minister le Ministre de la Guerre
Intelligence officer un officier du deuxième bureau, de renseignements
secret agent un agent secret

Branches of Army
staff l'état-major (*m.*)
service corps le train des équipages
engineers le génie
artillery l'artillerie (*f.*)
commando troops les commandos (*m.*)
ordnance le service du matériel

airborne troops les troupes
aéroportées
infantry l'infanterie (*f.*)
signals le corps des
transmissions, les transmissions
(*f.*)
A.A. defence la défense contre
avions (D.C.A.)
army of occupation une armée
d'occupation
military band la musique
militaire
standing army l'armée
permanente
paras les paras (*m.*)

Weapons and Transport
weapon une arme
shell un obus
rocket la fusée
A.A. gun le canon antiaérien
A.A. battery la batterie de
défense antiaérienne
tank le char (d'assaut, de
combat), le tank
missile le projectile
bullet la balle
explosive un explosif
flame-thrower le lance-flammes
hand grenade la grenade à main
armoured car la voiture blindée,
l'automitrailleuse (*f.*)
jeep la jeep
machine-gun la mitrailleuse
sub-machine gun la mitraillette
bayonet la baïonnette
cannon-ball le boulet
caterpillar un engin chenillé

Defences
barbed wire les barbelés (*m.*)
trench la tranchée
minefield le champ de mines

Groups
squad une escouade
patrol la patrouille
platoon le peloton
battalion le bataillon
regiment le régiment
unit une unité
reinforcements les renforts (*m.*)

troops les troupes (*f.*)
guerrillas les guérilleros (*m.*)

Places, Buildings, Sectors
barracks la caserne
sentry box la guérite
front le front
base le point d'appui; la base
mess le mess

**Minor Equipment and
Comforts**
uniform un uniforme
water bottle le bidon
grub le rata, la mangeaille, la
boustifaille
pay la solde
leave le congé; la permission
(*shorter*)
gas mask le masque antigaz

Forms of Fighting
siege le siège
local engagements les actions
locales
guerrilla warfare la guérilla
tactics la tactique
blockade le blocus
reprisals les représailles (*f.*)
set-back un échec
street fighting les combats (*m.*)
de rue
thrust la poussée
bridgehead la tête de front
offensive une offensive

Truce
truce la trêve
armistice un armistice
cease-fire le cessez-le-feu
surrender la reddition
war-weariness la lassitude de la
guerre

Functions
Field Day le Jour des (la Journée
de) Manœuvres
medical inspection la visite
médicale
eyesight test un examen visuel,
de la vue

Damage
damage les dommages (*m.*), les dégâts (*m.*)
loss la perte
wound la blessure; la plaie (*open*)
scar la cicatrice

Orders
halt! halte!
quick march! en avant, marche!
stand at ease! repos!
present arms! présentez armes!
attention! garde à vous!
shoulder arms! en joue!
fire! feu!

Adjectives
brave courageux
bold hardi, intrépide
tough dur
cowardly lâche
mechanised mécanisé

Verbs
to aim at viser
to fire (at) tirer (sur)
to invade envahir
to fall back on refluer sur, se replier sur
to shoot (dead) fusiller
to camouflage camoufler
to fight (a battle) livrer (bataille)
to inflict (losses) infliger (des pertes)
to flee fuir, prendre la fuite
to lay down (arms) mettre bas (les armes)
to parade (*intrans.*) se rassembler
to bark out (orders) brailler (des commandements)
to patrol patrouiller
to grouse rouspéter
to call up, call to the colours appeler au service, sous les drapeaux (*m.*)
to hit (of bullets) toucher
to win (victories) remporter (des victoires (*f.*)
to put down (a revolt) réprimer (une révolte)

to review passer en revue
to encircle encercler, cerner
to police maintenir l'ordre
to crackle (of gunfire) crépiter

Phrases
to answer the call-up répondre à l'appel
to be unfit for service être inapte au service
to see the world voir du pays, voir un peu le monde
to stand to attention se mettre au garde à vous
he was given 10 days' cells on lui flanqua dix jours de tôle (*slang*) (salle de police)
to troop the colours faire la présentation du drapeau
to have a decorative role avoir un rôle décoratif
to attain one's objective atteindre son objectif
to remain on conquered territory rester en territoire conquis
to be short of ammunition être à court de munitions
to come back safe and sound revenir intact (indemne)
with fixed bayonet (la) baïonnette au canon
to fire at long range tirer à longue portée
to hold at bay, in check tenir en échec
to rise from the ranks sortir du rang

Essays
Une carrière dans l'armée.
L'entraînement militaire dans les écoles (la C.C.F.): est-ce une perte de temps?
Une bataille historique.
Le rôle de l'armée dans le monde moderne.
Les avantages et les inconvénients du service militaire obligatoire.
Le métier de soldat.

See also 38. War.

3 Aviation L'Aviation (f.)

Military Personnel
airman un aviateur
mechanic le mécanicien
navigator le navigateur
observer un observateur
wireless operator le radio
Fleet Air Arm l'Aéronavale (f.)

Planes
fighter un avion de chasse
bomber le bombardier
jet un avion à réaction
pilotless aircraft un avion sans
pilote
wreck une épave
helicopter un hélicoptère
flight une escadrille
squadron un escadron
balloon le ballon
airship le dirigeable
jumbo jet un avion gros porteur,
un jumbo-jet
jump-jet (VTOL aircraft) un
avion à décollage vertical

Raids
raid le raid, une attaque
dive-bombing attack le piqué, le
bombardement en piqué
shelter un abri
target la cible
bomb la bombe
rocket la fusée
direct hit le coup direct
flak le tir contre-avions
bomb sight le viseur
bomb crater un entonnoir

Functions, Tasks
fly-past le défilé aérien
air display le festival aérien, la
fête aéronautique
aerobatics l'acrobatie (f.)
upkeep, maintenance l'entretien
(m.)
landing l'atterrissage (m.)
take-off le décollage, l'envol (m.)
trial flight le vol d'essai

Civil Personnel
pilot le pilote
co-pilot le co-pilote
air hostess l'hôtesse de l'air
crew un équipage
test pilot le pilote d'essai
dare-devil le casse-cou

Airport
airport un aéroport
air terminal une aérogare
airfield le champ d'aviation,
l'aérodrome (m.)
hangar le hangar
landing strip la piste
d'atterrissage; la piste d'envol
(for take-off)
control tower la tour de contrôle
gangway la passerelle
petrol tanker le camion
d'essence, le camion-citerne

Gliding
glider le planeur
gliding le vol à voiles
gliding fan le vélivole
launching le lâcher
winch le treuil
hang-glider le deltaplaneur
cable le câble
to tow remorquer
to let go lâcher
to pay out déhaler
to land se poser
to hang-glide faire du deltaplane

General Parts of Plane
wing-tip un aileron
tail (-unit) l'empennage (m.)
wing span l'envergure (f.)
cockpit un habitacle, la carlingue
undercarriage le train
d'atterrissage
pressurised cabin la cabine
étanche
propeller une hélice
lever la manette
joystick le manche à balai
porthole le hublot

gangway (between seats) le couloir
safety belt la ceinture de sécurité
parachute le parachute

Jets
turbo-jet (engine) le turbo-réacteur
exhaust l'échappement (*m.*)
nozzle la tuyère

Verbs
to land atterrir
to take off s'envoler, décoller
to come down on the sea amerrir
to fly over survoler
to crash s'écraser
to bring down abattre
to locate repérer
to turn, bank virer
to throb (of engines) ronfler, vrombir
to refuel ravitailler
to misfire, cut out avoir des ratés, bafouiller
to taxi rouler
to repair dépanner
to consume (petrol) consommer (l'essence)
to call at faire escale à
to fly (a plane) piloter (un avion)
to hijack détourner un avion

Phrases
to travel by air voyager par avion
to be airsick avoir le mal de l'air
to break the sound barrier franchir le mur du son
to reach the speed of sound atteindre la vitesse du son

to make a forced landing faire un atterrissage forcé
to be at the controls être aux commandes
to hedge-hop faire du rasemottes
to check one's route via the compass corriger sa route à la boussole
to make height prendre de la hauteur
in bad visibility par mauvaise visibilité
to return after carrying out one's mission revenir mission accomplie
to make a dive-bombing attack attaquer en piqué
to loop the loop boucler la boucle
it's a piece of cake! c'est du gâteau!
he has had 100 hours' flying il a totalisé cent heures de vol
to have air supremacy avoir la maîtrise de l'air
there remained nothing of the plane but scattered wreckage and burned bodies de l'avion il ne restait que quelques débris épars et des corps carbonisés
wreckage scattered over a wide area des débris éparpillés sur une grande étendue

Essays
Un combat aérien.
L'avenir du transport aérien.
Une visite à un aéroport.
Un accident d'avion.
Londres-New York. Avion ou paquebot?
Le rôle des armées aériennes.

4 Cinema Le Cinéma

Cinema, Film Studio
house la salle
seat la place
ticket le billet

desk le guichet
torch la lampe électrique
screen un écran
gangway le couloir

way out la sortie
news cinema le cinéma
d'actualités
continuous performance la
séance permanente
performance, show la séance
studio le studio
movie camera la caméra
arc lamp la lampe à arc

Films
science-fiction film le film de
science-fiction
advertisement film le film
publicitaire
horror film le film d'horreur
sound film (talkie) le film sonore
(parlant)
silent film le film muet
crime film le film policier
newsreel les actualités (*f.*)
cartoon le dessin animé
Western le Western
documentary le film
documentaire
supporting film le film
supplémentaire
thriller le film à suspense
trailer le film annonce
short le court métrage
sound track la bande sonore
revival la reprise
credit titles le générique
sub-title le sous-titre
sequence la séquence

Film Certificate Ratings
U film familial/pour tout le
monde
PG interdit aux enfants non-
accompagnés
15 interdit aux moins de 15 ans
18 interdit aux moins de 18
ans/réservé aux adultes

People
star la vedette, la star
Hollywood magnate le magnat
de Hollywood
script-writer le, la scénariste
usherette une ouvreuse

double, understudy la doublure
stand-in un(e) remplaçant(e)
producer le réalisateur
director le metteur en scène
starlet la starlette
extra un(e) figurant(e)
film fan, cinema-goer le
cinéphile
operator un opérateur

Adjectives
feeble banal
thrilling passionnant, palpitant
moving émouvant
outstanding saillant

Verbs
to frequent fréquenter
to shoot tourner
to film (a novel) filmer (un
roman), mettre en scène (un
roman)
to understudy (a part) doubler
(un rôle)
to be a flop être un four
to sign up (a star) engager (une
vedette)
to dub (in English) doubler (en
anglais)
to make up maquiller
to be popular être en vogue

Phrases
**this film is coming to our
cinema** ce film passera dans
notre cinéma
a film not to be missed un film à
ne pas manquer
**she put up a delightful
performance** elle a joué à ravir
**children under 16 not
admitted** interdit aux moins de
seize ans
**it's the highlight of the
programme** c'est le clou du
programme
**this film has had a resounding
success** ce film a eu un succès
retentissant
in slow motion en ralenti

I don't think much of the plot l'intrigue ne me dit pas grand-chose
I'm surprised the film got past the censor je m'étonne que le film ait été approuvé par la censure
the cinema is within everybody's means le cinéma est à la portée de toutes les bourses
the hooligans in the back row spoiled my pleasure les voyous du dernier rang ont gâté mon plaisir
it's showing at the Plaza il se joue au Plaza
this film made a packet in the U.S.A. ce film a fait d'énormes recettes aux États-Unis

the film sticks closely to the novel le film ne s'écarte pas du roman
the suspense was intolerable le suspense était insupportable

Essays
Une visite au cinéma.
Le cinéma est-il en déclin?
Le cinéma: art ou industrie?
Un film que j'ai vu.
La vie et la mort d'une vedette de cinéma.
Le cinéma et la délinquance juvénile.
Le cinéma devant la menace de la télévision.

See also 36. Theatre.

5 The Circus Le Cirque

People
travelling showman le forain
travelling circus le cirque ambulant
acrobat un(e) acrobate
clown le clown
tamer le dompteur
M.C. le maître de manège
funny man le comique
tightrope-walker le funambule
rider un écuyer, une écuyère
star une étoile
trapeze artist le, la trapéziste

Animals
pony le poney
sea-lion une otarie
chimpanzee le chimpanzé
troop of lions la troupe des lions

Turns
act un acte
elephants' ballet le ballet d'éléphants
equestrian number un numéro équestre

acrobatics les acrobaties (*f.*)
the high spot le point culminant, le clou
trick-riding act un numéro de voltige

Apparatus
arc-lamp la lampe à arc
net le filet
sawdust la sciure

Parts of Circus
arena une arène
bar (of a cage) le barreau (d'une cage)
Big Top le grand chapiteau
track, ring la piste

Adjectives
breathless, in suspense haletant, en suspens

Verbs
to hold one's breath retenir son souffle
to rehearse répéter

Phrases
to balance a barrel on the top of your nose tenir un baril en équilibre sur le bout du nez
the lion-tamer cracks his whip le dompteur de lions fait claquer son fouet
to jump through the hoop to the accompaniment of a drum roll sauter à travers le cerceau à l'accompagnement d'un roulement de tambour
to stand on tip-toe se tenir sur la pointe des pieds
to flirt with death jouer avec la mort
to execute a solo number exécuter un numéro en solo
he was hanging by his feet from the trapeze il était suspendu au trapèze par les pieds

to project a man from a gun lancer un homme par un canon
they look positively human! ils semblent presque humains!
they do some amazing tricks ils réussissent des tours extraordinaires
to go through a rigorous training subir un dur entraînement
the audience couldn't believe its eyes le public ne pouvait en croire ses yeux
to display remarkable skill faire preuve d'une adresse remarquable
at a dizzy height à une hauteur vertigineuse

Essay
Une visite au Cirque.

6 Commerce Le Commerce

Banks
bank account le compte en banque
current account le compte courant
deposit account le compte de dépôt
cashier le caissier
bank manager le directeur de banque
bank clerk l'employé(e) de banque
safe le coffre-fort
cheque-book le carnet de chèques
credit card la carte de crédit
cash dispenser le distributeur automatique de billets, la billetterie
to cash a cheque encaisser un chèque
to make out a cheque faire un chèque

Office
boss le gérant
shorthand-typist la sténo-dactylo
secretary le (la) secrétaire
telephonist le (la) téléphoniste
staff le personnel
switchboard le standard
typewriter la machine à écrire
word processor la machine à traitement de textes
computer terminal le terminal d'ordinateur
carbon paper le (papier) carbone
to answer the telephone répondre au téléphone
to type taper à la machine
to photocopy photocopier
to go through the mail dépouiller le courrier

Market
seller le vendeur (la vendeuse)
housewife la ménagère
stall un étalage
range (of goods) la gamme
wares (foodstuffs) les denrées
(*f.*); les provisions (*f.*)
goods les marchandises (*f.*)
change la (petite) monnaie

Shop
chain store le magasin à
succursales multiples
branch la succursale
department stores les grands
magasins
shopkeeper le commerçant
wholesaler le marchand en gros,
le grossiste
retailer le détaillant
shop assistant le commis; le
vendeur (la vendeuse)
shop-lifter le voleur (la voleuse)
à l'étalage
partner un associé
middleman un intermédiaire
supplier le fournisseur
consumer le consommateur
commercial traveller le
commis, le voyageur de
commerce
night watchman le gardien de
nuit
clients la clientèle
lift un ascenseur
escalator un escalier roulant
counter le comptoir
show-case la vitrine
shop front la devanture
warehouse un entrepôt
purchase une emplette, un achat
till le tiroir-caisse
order la commande
increase (in prices) la hausse, la
majoration
reduction (in prices) la baisse
hyper/supermarket l'hyper/le
supermarché
shopping trolley le chariot, le
caddy
check-out (desk) la caisse

Companies
firm, company, business la
maison de commerce, la firme, la
société, une entreprise
small firm/business une petite
entreprise
subsidiary (company) la filiale
assets l'actif (*m.*)
liabilities le passif
profit le bénéfice
loss la perte
Chairman and Managing
Director le Président-directeur
général (P.-D.G.)
accountant le comptable
business tycoon le magnat
capital le capital
interest l'intérêt (*m.*)
dividend le dividende
shareholder un(e) actionnaire
stockbroker un agent de change
Stock Exchange la Bourse
share une action
expenses les frais (*m.*)
to go bankrupt faire faillite

Money
pound la livre sterling
paper money le papier-monnaie
coin la pièce
note le billet
exchange rate le taux
foreign currency les devises
(étrangères)
purchasing power le pouvoir
d'achat
cost of living le coût de la vie
high cost of living la vie chère
inflation rate le taux d'inflation
tax un impôt
taxation la taxation
taxpayer le contribuable
subsidy la subvention
budget le budget
rent le loyer
wages le salaire

Adjectives
competitive (price) compétitif
up/down market haut/bas de
gamme

shrink-wrapped emballé sous film rétractable

Verbs (general)
to dismiss congédier
to despatch expédier
to order commander
to take on (staff) engager
to invest placer
to display étaler
to put up (prices) augmenter, majorer, hausser
to reduce (prices) baisser, réduire
to bid faire une offre
to outbid renchérir sur
to cover (expenses) couvrir (les frais)
to wrap up, pack emballer
to buy second-hand acheter d'occasion
to afford se permettre, avoir les moyens de
to charge demander
to save faire des économies
to balance (budget) équilibrer

Phrases
to sell for cash (on credit; wholesale; retail) vendre au comptant (à crédit; en gros; au détail)
to put onto the market lancer sur le marché
to do well, to do good business faire de bonnes affaires
it cost him a packet ça lui a coûté des sommes folles
I can't make ends meet je n'arrive pas à joindre les deux bouts
to have a deficit of £10,000 être en déficit de dix mille livres
to pay high interest charges payer de gros intérêts
the staff consists of ... le personnel comprend ...
they bang the door in your face ils vous ferment la porte au nez

to go from door to door faire du porte à porte
to make eyes at the boss faire de l'œil au patron
to earn £15,000 p.a. with expenses gagner £15,000 par an, plus les frais
we've only a small staff nous n'avons qu'un personnel restreint
to make substantial economies procéder à de sérieuses compressions
it's a pretty dull routine c'est une routine fort monotone
to act on one's own initiative prendre des initiatives
to deliver to the door livrer à domicile
to make a good bargain faire une bonne affaire
to go shopping faire ses courses
to earn one's living gagner son pain
'Would there be anything else?' 'Et avec ça?'
to be hard up être dans la gêne, être à court d'argent
what a crowd! que de monde!
to go window-shopping faire du lèche-vitrines

Essays
Les avantages et les désavantages de la vente à tempérament (hire purchase).
Une vente aux enchères (auction sale).
La journée d'un commis-voyageur.
L'argent.
Une visite au supermarché.
Une aventure dans un grand magasin.
La vie d'une sténo-dactylo ou d'un employé de banque: quel triste métier!

7 The Countryside La Campagne

Features
heath, moor la bruyère, la lande
copse le taillis
marsh le marais
hedge la haie
slope le talus, la pente
path le sentier
pond la mare, un étang
windmill le moulin à vent
watermill le moulin à eau
ditch le fossé
thicket le fourré
brushwood la broussaille
bough la rameau
spring la source
valley la vallée

Village
village le village
hamlet la hameau
inn une auberge
village green la place du village
village store l'épicerie (f.) du
   village

Homes
cottage la chaumière
hut la cabane
country house le château; la
   maison de campagne

People
countryman le campagnard, le
   paysan
country folk les ruraux (m.)
yokel le rustre
village policeman le garde
   champêtre

Extent of Country
countryside la région
region (geographical) une
   contrée

Pleasures
attractions les charmes (m.), les
   attraits (m.)
fresh air l'air frais

smell of hay l'odeur (f.) des
   foins (m.)
smell of wet earth l'odeur de la
   terre mouillée
quietness la paix
absence of noise l'absence (f.) de
   bruit
absence of smoke l'absence de
   fumée
healthy diet un régime sain
   (salubre)

Flowers
buttercup le bouton d'or
daisy la pâquerette
dandelion le pissenlit
cowslip le coucou
poppy le coquelicot

Disadvantages
smell of manure l'odeur (f.) du
   fumier
mud la boue
puddle la flaque
pot-hole, rut une ornière, la
   fondrière
pylon le pylône électrique
loneliness l'isolement (m.)
distance from
   shops l'éloignement (m.) des
   magasins
monotony la monotonie
boredom l'ennui (m.)
bad weather les intempéries (f.)

Adjectives
muddy boueux
marshy marécageux
uneven raboteux
picturesque pittoresque
wooded boisé
healthy hygiénique, salubre, sain
wild sauvage
insanitary insalubre

Verbs
to wind (of path) serpenter
to inhale humer

Phrases
in the open country en rase
  campagne
to stretch as far as the eye can
  see s'étendre à perte de vue
to sleep in the open air coucher
  à la belle étoile
to live close to nature vivre près
  de la nature
to breathe deeply respirer à
  pleins poumons
to go across country prendre à
  travers champs
in the fresh air en plein air
to get some exercise prendre de
  l'exercice
paths fragrant with
  honeysuckle des chemins qui
  embaument le chèvrefeuille
the roads become rivers of
  mud les chemins se
  transforment en ruisseaux de
  boue

to go into town every day aller à
  la ville tous les jours
to get away from the hectic life
  of the town échapper à la vie
  fiévreuse de la ville
to have the best of both
  worlds avoir les avantages de
  l'un et de l'autre
to eat lots of good food manger
  abondamment une nourriture
  saine
that's its worst defect c'est là
  son pire défaut

Essays
Préférez-vous demeurer en ville ou à
la campagne?
Les avantages et les inconvénients de
la vie rurale.

See also 11. Farm; 37. Town.

8 Crime Le Crime

Crimes
poisoning l'empoisonnement (*m.*)
arson le crime d'incendie
larceny le larcin
suicide le suicide
theft le vol
burglary le cambriolage
rape le rapt, le viol
murder le meurtre; un assassinat
  (*planned*)
attempt (on life) un attentat (à la
  vie)
damage les dégâts (*m.*)
juvenile delinquency la
  délinquance juvénile
troubles, disturbance les
  troubles (*m.*)
raid (by burglars) une attaque
raid (by police) la descente, la
  rafle
blackmail le chantage
capital offence le crime capital
looting le pillage

riots les émeutes (*f.*)

Police and Law
police la police
policeman un agent, un policier
cops (*slang*) les flics (*m.*) (*slang*)
trial le procès
jury le jury (les jurés—*jury-men*)
magistrate le magistrat
judge le juge
warder le gardien
detective le détective
cross-examination un
  interrogatoire contradictoire
third degree le passage à tabac
counsel for the defence le
  défenseur
counsel for the prosecution le
  ministère public
witness box la barre des témoins
witness for the defence le
  témoin à décharge

witness for the prosecution le témoin à charge

Criminals
gangster le gangster
burglar le cambrioleur
murderer le meurtrier; un assassin
pickpocket le voleur à la tire, le pickpocket, le filou
crook un escroc
pilferer le chipeur
thug un apache, le bandit
accused un inculpé
victim la victime
sadist le sadique
accomplice le complice
mugger un agresseur

Punishment
punishment la punition, le châtiment
detention la détention
sentence la sentence, la condamnation
life imprisonment l'emprisonnement (m.) à perpétuité
hard labour les travaux forcés
hanging la pendaison
cell la cellule

Treatment
psychologist le psychologue
psycho-analyst le psychanalyste
preventive detention la détention préventive
rehabilitation centre le centre de rééducation
youth club le club de jeunesse

Causes
drink l'alcoolisme (m.)
insecurity l'insécurité (f.)
working mothers les mères qui travaillent
divorce le divorce
unsuitable reading la mauvaise lecture
housing shortage le manque de logements, la crise du logement
broken home le foyer désuni

inferiority complex la complexe d'infériorité

The Young Delinquent
delinquent le délinquant
teenager un(e) adolescent(e)
hooligan le voyou, le loubard
motor-bike rider le motocycliste
scooter rider le scootériste
boy/girl friend un(e) petit(e) ami(e)

Weapons
cosh la matraque
dagger le poignard
flick-knife le couteau à cran d'arrêt
sub-machine gun la mitraillette
revolver le revolver

Adjectives
tough dur
maladjusted mal adapté
sophisticated sophistiqué
corporal corporel
unloved mal aimé

Verbs
to condemn condamner
to break in(to houses) entrer par effraction
to murder assassiner
to wound blesser
to stab poignarder, percer
to set fire to mettre le feu à
to burgle cambrioler
to fire upon tirer sur
to riddle (with bullets) cribler (de balles)
to execute exécuter
to hang pendre
to set free, discharge libérer, acquitter
to regenerate, reform régénérer, réformer
to fine condamner à une amende, frapper d'une amende
to knock down, stun assommer
to mug agresser (les passants)

Phrases
to take a statement prendre une déposition
to have a chip on one's shoulder chercher noise (à quelqu'un), en avoir contre (quelqu'un, la vie)
to carry weapons porter des armes
to make a raid on a bank attaquer une banque
to beat (up) with bicycle chains assommer à coups de chaîne de bicyclette
the shot went off le coup partit
there was a crackle of fire des coups de feu crépitèrent
the police put the handcuffs on him la police lui passa les menottes
this brings the number of murders in London up to seven cela porte à sept le nombre des meurtres commis à Londres
to raise the school-leaving age prolonger la scolarité
both parents go out to work les parents travaillent tous les deux
to give a wolf whistle donner un coup de sifflet approbateur (*ou* d'admiration)

sentenced to two months' imprisonment condamné à deux mois de prison
the appeal for mercy was turned down le recours en grâce fut rejeté
to grant a stay of execution accorder un sursis d'exécution
he was reprieved at the eleventh hour la peine capitale fut commuée à la onzième heure
to be an advocate of capital punishment être partisan de la peine capitale
to abolish the death sentence supprimer la peine de mort
prevention is better than cure mieux vaut prévenir que guérir
to answer for one's crimes répondre de ses crimes

Essays
Un vol.
La peine de mort.
La délinquance juvénile—les causes et le remède.
Une journée dans la vie d'un agent de police.

9 Cycling and Cycle Racing Le Cyclisme

Machine
bicycle la bicyclette, le vélo
motorcycle, motorbike la motocyclette, la moto
handlebar le guidon
spoke le rayon
brake le frein
saddle la selle
lamp le phare
bell le timbre
tyre le pneu
frame le cadre
pedal la pédale
carrier le porte-bagages

pump la pompe
saddle-bag la sacoche

People
racing cyclist le coureur (cycliste)
starter le starter
follower-up le suiveur
sprinter le sprinter
supporter le supporter
bunch (of cyclists) le peloton
radio commentator le radio-reporter

Racing
race la course
race-track le vélodrome
(*building*); la piste (*cycle-track*)
lap le circuit; le tour de piste; une
étape (*road race*)
rest day le jour de repos
average speed la vitesse moyenne
climb la montée, la côte
descent la descente
acceleration la reprise
sprint le sprint
straight la ligne droite

Disaster
puncture la crevaison
skid le dérapage
fall la chute

Tools, Gear
oil-can la burette
spanner la clef anglaise
jersey le maillot
shorts la culotte, le short
haversack la musette (de
ravitaillement)
water-bottle le bidon
shoes les souliers (*m.*)

Adjectives
mud-spattered éclaboussé de
boue
gruelling (race) éreintant
sweaty couvert de sueur
all-in éreinté

Verbs
to pass dépasser, doubler
to catch up rattraper
to edge into (traffic) se faufiler
dans
to sponsor patronner

Phrases
to go cycling faire du vélo
to do 200 kilometres a
day couvrir 200 kilomètres par
jour
to put up a fine
performance réaliser une belle
performance
this sport has become very
popular ce sport a pris un grand
essor
he was all in il n'en pouvait plus
the two machines collided les
deux machines sont entrées en
collision (se sont heurtées)
to go to the front passer en tête
to sweat profusely suer à grosses
gouttes
to win £1000 in prize
money gagner, remporter, un
prix de mille livres sterling

Essays
Le cyclisme.
Le Tour de France.

See also 21. Motoring.

10 Education L'Éducation (*f.*)

Lessons and Work
subject la matière
teaching l'enseignement (*m.*)
physical education l'éducation
physique
P.T. la gymnastique
handwork le travail manuel
timetable l'emploi (*m.*) du temps
lesson le cours, la leçon
course le programme

Arts les Humanités (*f.*), les
Lettres (*f.*)
Science les Sciences (*f.*)
Economics l'Économie (*f.*)
politique

Report, Punishment, Crimes
report le bulletin (trimestriel); la
note (*comment*)
imposition le pensum
detention la retenue

corporal punishment la
punition corporelle
clout, slap in the face la gifle
playing up le chahut
blame le blâme
praise l'éloge (*m.*), les
félicitations (*f.*)

Functions, Dates
return to school la rentrée des
classes
prize day, speech day la
distribution des prix
half term le congé de mi-
trimestre
long vacation les grandes
vacances

People
teachers (in general) les
enseignants, le personnel
enseignant
headmaster le proviseur (*in
lycée*); le directeur (*in other
schools*); le principal (*in 'collèges'*)
headmistress la directrice
schoolmaster, schoolmistress le
professeur (*m. and f.*) (*secondary*)
teacher un instituteur, une
institutrice (*primary*)
second master le censeur (lycée)
part-time teacher le professeur
à mi-temps
examiner un examinateur
Minister of Education le
Ministre de l'Éducation
Nationale
supervisor le surveillant
boarder un(e) interne, un(e)
pensionnaire
day boy, day girl un(e) externe
weekly boarder un(e) demi-
pensionnaire
infant prodigy un(e) enfant
prodige
prizewinner le lauréat

Types of School and Classes
nursery school une école
maternelle

primary school une école
primaire
secondary school le lycée (*15+
comprehensive*); le collège (*11–15
comprehensive*)
private school une école libre; un
collège libre
boarding school le pensionnat,
un internat, la pension
day school un externat
first form la sixième
lower sixth form la première
upper sixth form la terminale

College and University
university l'Université (*f.*), la fac
(*slang*)
polytechnic l'Institut (*m.*)
Universitaire de Technologie
(I.U.T.)
training college une école
normale
professor le professeur
d'université
lecturer le maître de conférences,
le maître assistant
tutor le répétiteur
lecture la conférence
student life la vie estudiantine
university education les études
(f.) universitaires

Examinations
examination un examen
oral test une épreuve orale
scholarship examination le
concours des bourses
degree les grades (*m.*); la licence
(*bachelor's degree*)
school-leaving certificate le
baccalauréat; le brevet
entrance examination un
examen d'entrée
doctor's thesis la thèse de
doctorat
intelligence test le test
d'intelligence
teacher training certificate le
C.A.P.E.S. (Certificat d'aptitude
pédagogique à l'enseignement
secondaire)

Rooms and Furniture
refectory le réfectoire
dormitory le dortoir
main hall la grande salle
playground la cour de récréation
prep. room, schoolroom la salle
  d'étude, la salle de classe
dais une estrade
teacher's desk la chaire

Equipment, Clothes
notice-board (baize) le tableau
  d'affichage, d'annonces
duster le chiffon, le torchon
blotting-paper le papier buvard
ball-point pen le stylo à bille
satchel le cartable
note-book le carnet
drawing-board la planche à
  dessin
waste-paper basket la corbeille à
  papier
pupil's file, record le dossier
  d'élève
shorts la culotte, le short
blazer le blazer
overall la blouse, le tablier
overhead projector le
  rétroprojecteur
language laboratory le
  laboratoire de langues

Adjectives
well-behaved sage
mischievous espiègle
hard-working assidu, travailleur
strict sévère
well-up, well-versed (in)
  ferré (sur), calé (en, sur)
naughty méchant, polisson
overloaded surchargé
of the school (e.g., life,
  discipline) scolaire
of the university universitaire

Verbs
to swot, swot for (exam.) bûcher
to play up chahuter
to progress progresser, faire des
  progrès
to overwork (*trans.*) surmener

to sit for (exam.) passer, subir
to pass (an exam.) réussir, être
  reçu (à un examen)
to fail (*intrans.*) échouer, être
  refusé, être collé
to fail (candidates) recaler
to sit again être repêché
to learn apprendre
to teach enseigner, apprendre
  (qqc. à qqn.)
to select (candidate) sélectionner
to train former, dresser
to put down (one's son for a
  public school) inscrire

Phrases
to play truant faire l'école
  buissonnière, sécher les cours
to be at university être à
  l'université, à la Fac; faire des
  études universitaires
to do one's teacher-
  training faire son stage, étudier
  dans une Ecole Normale
to work hard travailler dur
to be thoroughly
  bored s'ennuyer ferme
to be among the
  prizewinners être inscrit au
  palmarès
to raise the school-leaving
  age prolonger la scolarité
out-of-school activities les
  activités extra-scolaires
he's hopeless at French il est nul
  en français
to be sent out of the room être
  mis à la porte

Essays
*Les années d'école: l'âge le plus
  heureux de la vie.*
*Quelques différences entre
  l'enseignement en France et en
  Angleterre.*
Les examens—sont-ils injustes?
Votre école idéale.
L'éducation mixte.
*Notre enseignement est-il trop
  spécialisé?*

*Les dangers d'une éducation
consacrée à la technologie.
Les qualités du professeur idéal.
Que pensez-vous de l'éducation que
vous avez reçu?
Comment tire-t-on le meilleur profit
des années de 'Sixth-Form'?
A votre avis, quel devrait être l'âge
limite de la scolarité?
L'influence des examens sur notre
éducation.*

*Êtes-vous pour ou contre l'uniforme
scolaire?
L'existence des 'Public-Schools' se
justifie-t-elle?
'Dans l'éducation moderne on lit
trop de livres et on ne pense pas
assez.' Discutez.
Pourquoi je veux entrer à une
université.
Le rôle de la télévision dans
l'enseignement.*

11 The Farm La Ferme

Work
ploughing le labour, le labourage
sowing les semailles (*f.*),
l'ensemencement (*m.*)
haymaking la fenaison
rearing l'élevage (*m.*)
harvesting, harvest la moisson
(*cereals*), la récolte (*fruit*)
cultivation la culture (*in
pl. = land under cultivation*)
feeding l'alimentation (*f.*) (du
bétail)
market gardening la culture
maraîchère

People
farmer le fermier; le cultivateur;
un agriculteur (*in economic,
industrial sense*)
labourer l'ouvrier, le valet de
ferme
ploughman le laboureur
shepherd le berger
market-gardener le maraîcher
vine-grower le viticulteur

Animals
cattle, livestock le bétail
goat la chèvre
mare la jument
calf le veau
sheep le mouton
pig; sow le cochon, le porc; la
truie
carthorse le cheval de trait

Produce
foodstuffs les aliments (*m.*), les
denrées (*f.*) (alimentaires)
grain crops les céréales (*f.*)
corn le blé
wheat le froment
barley l'orge (*f.*)
oats l'avoine (*f.*)
rye le seigle
maize le maïs
straw la paille
stubble le chaume
clover le trèfle
hay le foin
vine la vigne
oil-seed plants les oléagineux
(*m.*)
fodder le fourrage
hayrick, haystack la meule (de
foin)
stook le tas de gerbes, la moyette
sheaf la gerbe
flour la farine

Parts of Farm
field le champ (*ploughed*); le pré,
la prairie, le pâturage (*under
grass*)
barn la grange
shed le hangar
cowshed, byre une étable
stable une écurie
farmyard la basse-cour
kennel la niche
well le puits

dairy la laiterie
gate la barrière
fence la palissade, la clôture
land, soil le sol, la terre
furrow le sillon
arable land la terre labourable, la
terre arable
pasture les pâturages (*m.*)
tied cottage le logement de
fonction (d'ouvrier agricole)

Poultry
poultry la volaille
duck le canard, la cane
duckling le caneton
goose une oie
cock le coq
hen la poule
chick le poussin
chicken le poulet
turkey le dindon, la dinde

Machinery, Tools
plough la charrue
tractor le tracteur
combine-harvester la
moissonneuse-batteuse
milking machine la machine à
traire, la trayeuse
lorry le camion
van la camionnette
cart la charrette
yoke le joug
harrow la herse
pitchfork la fourche

Seeds and Fertilisers
seed la graine, la semence
manure l'engrais (*m.*) (*solid*); le
purin (*liquid*)
fertiliser (artificial) l'engrais
(chimique)
dung le fumier

Disease, Evils
foot and mouth disease la fièvre
aphteuse
drought la sécheresse

Economics
guaranteed prices les prix
garantis

subsidy la subvention
yield le rendement
production la production
(agricole)
wages le salaire
profits les bénéfices (*m.*)
competition la concurrence
co-operative la coopérative

Adjectives
fertile fertile
dry aride
barren stérile
heavy (soil) lourd
light (soil) léger, meuble

Verbs
to rear élever
to till cultiver
to plough labourer
to fertilise fertiliser
to sow semer
to grow cultiver (*trans.*), pousser
(*intrans.*)
to milk traire
to shear tondre
to feed (animals) donner à
manger à, alimenter
to water abreuver
**to bring in (cattle), to gather
(harvest)** rentrer
to turn over (earth) retourner
to ripen (*intrans.*) mûrir
to lay (eggs) pondre (des œufs)
to produce produire
to consume consommer
to thresh battre

Phrases (Life)
to be soaked to the skin être
trempé jusqu'aux os
to inhale the fresh air humer
l'air frais
**to involve heavy
labour** impliquer un travail dur
**to throw handfuls of maize to
the chickens** lancer aux poules
le maïs à pleines poignées
**to put in countless hours in the
fields** faire des heures
innombrables dans les champs

to make hay on a sunny morning faire les foins par un matin ensoleillé

(Economics)
to save labour économiser la main-d'œuvre
to keep up one's standard of living maintenir son niveau de vie
conditions have improved les conditions se sont améliorées
the farm used to have a derelict look la ferme avait un air d'abandon
to have a bumper harvest avoir une grosse récolte
to fear competition craindre la concurrence
to put land under grass mettre le terrain en herbe

(Description)
fields stretching endlessly away (as far as the eye can see) les champs qui s'étendent à l'infini (à perte de vue)
to have superb views avoir de belles perspectives

(Weather)
the days are visibly drawing in les jours raccourcissent à vue d'œil
heavy black clouds pile up on the horizon de gros nuages noirs s'amoncellent à l'horizon

Essays
Une journée d'un fermier.
'Le métier de fermier est un des plus agréables du monde.' Discutez.
La ferme moderne.

See also 7. Countryside; 15. Garden.

---

12 Fire Service Le Service D'Incendie

Station and Equipment
fire station le caserne de pompiers (d'incendie)
fire engine voiture de pompiers
fire alarm une alerte d'incendie, un avertisseur d'incendie
control room la salle de contrôle
motor ladder une échelle mobile
mobile pump la pompe baladeuse
jet of water le jet d'eau
helmet le casque
Wellington boots les bottes (f.) en caoutchouc
hose le tuyau
safety net la toile de sauvetage

People
fireman le pompier (le sapeur-pompier)
victim la victime

badly burned person un(e) brûlé(e)
rescuer le sauveteur

Fire
fire le feu, le sinistre
blaze, conflagration l'incendie (m.), l'embrasement (m.)
wreath of smoke la spirale (la volute) de fumée
column of smoke la colonne de fumée
spark une étincelle

Rescue
safety exit une issue de secours
rescue operation le sauvetage

Verbs
to catch fire prendre feu
to panic s'affoler
to break out (fires) se déclarer

to **plunge into**
  mourning endeuiller
to **spread (fire)** se propager,
  s'étendre
to **control (fire)** maîtriser
to **unwind (hose)** dérouler
to **risk (life)** risquer
to **fly (sparks)** jaillir
to **be fireproof** être à l'épreuve
  du feu
to **evacuate** évacuer

Phrases
fire! au feu!
there's a smell of burning il y a
  une odeur de brûlé
to have small regard for
  danger faire peu de cas du
  danger
he came down the ladder with
  the girl over his shoulder il a
  descendu l'échelle, la jeune fille
  sur l'épaule
to behave like a hero se conduire
  en héros
no one knows how the fire
  started on ignore comment le
  feu a pris naissance
the neighbourhood became a
  hell of fire and smoke le
  voisinage a été transformé en un
  enfer de flammes et de fumée
the safety exit was blocked la
  sortie de secours était bloquée

countless heroic acts de
  nombreux actes d'héroïsme
a badly burned child un enfant
  grièvement brûlé
crushed by falling
  timbers écrasé par la charpente
  qui s'effondrait
panic gripped the children la
  panique s'est emparée des
  enfants
to look for a way of
  escape chercher une issue pour
  s'échapper
a burning fiery furnace une
  fournaise ardente
I witnessed heartrending
  scenes j'ai été témoin de scènes
  déchirantes
to rummage among the
  ruins fouiller parmi les
  décombres
damage estimated at millions
  of francs des dégâts évalués à
  des millions de francs
to blaze away flamber comme
  une torche
to go up in smoke s'envoler en
  fumée
to be burned alive (to
  death) être brûlé vif

Essay
Un incendie.

13 **Football** Le Football et Le Rugby

1. Le Football

Parts of the Field
pitch le terrain
half-way line la ligne médiane
touch-line la ligne de touche
goal le but, le goal
post le montant, le poteau
cross-bar la barre
net le filet
corner flag le poteau de coin, de
  corner

Players
goalkeeper le gardien de but
right back l'arrière droit
left back l'arrière gauche
right half le demi droit
centre half le demi centre
left half le demi gauche
right wing l'ailier droit
inside right l'inter droit
centre forward l'avant centre
inside left l'inter gauche
outside left l'ailier gauche

referee un arbitre
striker un buteur
sweeper un arrière de défense
substitute le remplaçant
linesman le juge de touche
forward line la ligne d'attaque
team mate le coéquipier
reserve le remplaçant
footballer le footballeur, le
 joueur de football
trainer, coach un entraîneur
spectator le spectateur
supporter, fan le supporter
opponent un adversaire
the local side les locaux (*m.*)

The Ground
stand la tribune
terrace les gradins (*m.*)
cloakroom le vestiaire
floodlights les projecteurs (*m.*)
turnstile le tourniquet

The Play
toss-up le tirage au sort
match le match (*pl.* les matchs,
 les matches)
draw un match nul
home/away à domicile/à
 l'extérieur
meeting, encounter la rencontre
kick-off le coup d'envoi
kick le coup de pied
header le coup de tête
play le jeu
out of play hors-jeu
half-time la mi-temps
extra time la prolongation
resumption la reprise
free kick le coup franc
penalty le penalty (la pénalité)
corner le corner
goal le but
score le score
charge la charge
tactics la tactique
ball control le contrôle du ballon
foul la faute

Equipment
ball le ballon (*Rugby:* la balle)

boot la chaussure, le soulier
jersey le maillot
shorts la culotte
stockings, socks les bas (m.*)
shin-guard la jambière
boot-lace le lacet
rattle la crécelle

Adjectives
exciting passionnant
well-balanced équilibré
opposing adverse
fit au point, en bonne forme
dirty (game) pas propre, brutal

Verbs
to head jouer de la tête
to pass passer
to shoot shooter
to dribble dribbler, faire un
 dribbling
to trip faire un croc-en-jambe (à)
to send sprawling renverser
to boo huer

Phrases
a real master of ball control un
 vrai virtuose du ballon
to (play a) draw faire match nul
the two captains tossed: Duflos
 won les deux capitaines ont tiré
 au sort: Duflos a gagné
to be at full strength être au
 complet
to lie well back se tenir en retrait
to show splendid form faire
 preuve d'une forme splendide
to throw beer cans at the
 ref. jeter des boîtes de bière à
 l'arbitre
football hooliganism le
 vandalisme (lors d'un match de
 football)
to score an equaliser marquer
 un but égalisateur
to fill the outside left
 postion être au poste d'ailier
 gauche
what's the line-up? quelle est la
 composition de l'équipe?
to have a kick-about taper dans
 le ballon

that ref. spoils the play with too much whistle cet arbitre gâche le jeu par de trop nombreux coups de sifflet

to have a two-goal lead mener par deux buts

to try one's luck (try a shot) tenter sa chance

to be standing (round the ground) être aux pourtours

to get to the fourth round of the Cup arriver jusqu'au quatrième tour de la Coupe

to win the League gagner le Championnat

the takings from this game were excellent ce match nous a valu une grosse recette

to undergo a severe training programme subir un entraînement rigoureux

to have a broken leg avoir la jambe fracturée, cassée

to bring back the crowds ramener la foule

to do the (football) pools parier sur les matchs de football

2. Le Rugby

Players

rugby player le rugby-man (*pl.* les rugby-men), le joueur de rugby

full back un arrière

three-quarters le trois-quarts

right wing-three-quarter le trois-quarts aile droite

right centre le centre droit

scrum half le demi de mêlée

stand-off half le demi d'ouverture

back un arrière

forward un avant, un pilier

front row la ligne d'attaque, la première ligne

lock forward la rentrée en mêlée

hooker le talonneur

touch judge le juge de touche

scorer le marqueur

Parts of the Field

touch-line la ligne de touche

dead ball line la ligne de ballon mort

goal line la ligne de but

Play

line-out la ligne

run la course

breakaway une échappée

scrum la mêlée

forward pass la passe en avant

foul la faute

try un essai

goal un but (sur essai)

penalty goal un but (sur coup franc)

drop goal le drop

Verbs

to tackle plaquer

to score a try marquer (un essai)

to convert transformer (un essai)

to drop (a goal) réussir un drop

to back up, support redoubler

to dodge (*intrans.*) crocheter

to pass (ball) passer

to feint feinter

to outrun prendre quelqu'un de vitesse

to cross (the line) franchir (les buts)

to pierce (the defence) trouer (la défense)

to heel out talonner

to penalise sanctionner

to break away se dégager

to kick to touch botter en touche

to knock on pousser la balle en avant

Phrases

to take the ball on the bounce prendre la balle au rebond

the acrid smell in the scrum l'âcre odeur de la mêlée

we had 23 points to our credit nous avions vingt-trois points à notre actif

mud-spattered players des joueurs éclaboussés de boue **he's the world's best place-kicker** c'est le plus formidable coup de pied du monde **what rotten reffing!** quel mauvais arbitrage!	**Essays** *Football ou Rugby? Un match passionnant auquel j'ai participé (ou, que j'ai vu). Le Football international—favorise-t-il l'amitié entre les nations?*

14 Foreign Trade Le Commerce Extérieur

Essentials
imports les importations (*f.*)
exports les exportations (*f.*)
tariffs les droits (*m.*) de douane
tariff barriers les barrières douanières
outlets les débouchés (*m.*)
markets les marchés (*m.*)
quota le contingent; le quota

Principles
competition la concurrence
discrimination la discrimination
preferential tariff le tarif, le droit différentiel, préférentiel

Trade Groups
Common Market, European Economic Community (EEC), the Ten le Marché Commun, la Communauté Économique Européenne (CEE), les Dix
block le bloc
unit une unité

Trade Group Objectives
covenant une convention
agreement un accord
treaty un traité
objective un objectif
customs union une union douanière
free trade zone la zone de libre-échange
lower prices les prix réduits
freedom of movement (for workers) (for capital) la libre circulation (des travailleurs) (des capitaux)

supra-nationality la supranationalité
balance of trade la balance commerciale
common agricultural policy la politique agricole commune

Possible Objectives
common currency la monnaie commune
influential position (with regard to) une situation privilégiée (vis-à-vis de)
Channel Tunnel Le Tunnel sous La Manche
a Third Force une Troisième Force

Goods
atomic energy l'énergie (*f.*) atomique
coal le charbon
steel l'acier (*m.*)
iron ore le minerai de fer
manufactured goods les produits manufacturés
farm products les produits agricoles
raw materials les matières premières

People
consumer le consommateur
producer le producteur
farmer un agriculteur
industrialist un industriel
worker le travailleur
business man un homme d'affaires

trade unionist le syndicaliste
horticulturist un horticulteur

Adjectives
hostile hostile
stubborn intransigeant
isolated, out of it isolé

Verbs
to absorb (exports) absorber
to negotiate négocier
to be against s'opposer à
to increase (exports) accroître
(les exportations)
**to give up
(sovereignty)** abandonner (la
souveraineté)
to stimulate stimuler
to cure remédier à
**to balance (imports and
exports)** équilibrer

Phrases
the signatories of the treaty les
signataires du traité
**to be a non-member
country** être un pays non-
membre
**links with the
Commonwealth** les liens avec
le Commonwealth
**British Trade Unions fear
foreign workers coming in** les
syndicats britanniques redoutent
l'entrée des travailleurs étrangers
**we shall be inundated with
cheap farm produce** nous
serons inondés de produits
agricoles à bas prix
**goods coming from the
Continent** les marchandises en
provenance du Continent
**our insularity has something to
do with it** notre insularité y est
pour quelque chose

**a decline in British economic
prosperity** un déclin dans la
prospérité économique de la
Grande-Bretagne
short (long) term interest les
intérêts à courte (longue)
échéance
improved living standards un
niveau de vie amélioré
a new era of prosperity une
nouvelle ère de prospérité
butter mountain la montagne de
beurre
multi-national (company) la
(société) multi-nationale
overseas investments les
placements outre-mer
gradual reduction of tariffs une
réduction graduelle des droits de
douane
**to have favourable
repercussions (on)** avoir des
répercussions favorables (sur)
to come into force entrer en
vigueur
**to be a bridge (between two
groups)** constituer un pont
(entre deux groupes)
**to help under-developed
countries** porter aide aux pays
sous-développés
**to weaken the influence of
Communism** affaiblir
l'influence du Communisme
**to take protective
measures** prendre des mesures
de protection

Essays
*La Grande-Bretagne et le Marché
Commun.*
*Que devrions-nous fair pour
accroître nos exportations?*
*'Britain must export or die.' Est-ce
vrai?*

15 The Garden Le Jardin

Types
kitchen garden le jardin potager
orchard le verger
greenhouse la serre
rock garden le jardin de rocaille
cold frame le châssis de couches

Tools
trowel la houlette, le transplantoir
hoe la houe, la binette
lawn-mower la tondeuse (à gazon)
motor mower la tondeuse à moteur
roller le rouleau
spade la bêche
fork la fourche
rake le râteau
barrow la brouette
watering-can un arrosoir
hose le tuyau
incinerator un incinérateur
shears la cisaille à haie

Accessories to Garden
hammock le hamac
summer-house le pavillon
pond le bassin
seat le banc

Parts of Garden
fence la clôture
path une allée
flower bed le parterre; la plate-bande
lawn la pelouse
hedge la haie
crazy paving le dallage irrégulier
compost heap le (tas de) compost

Trees
fruit tree un arbre fruitier
birch le bouleau
box le buis
chestnut le marronnier; le châtaignier (edible chestnut)
oak le chêne
maple un érable

ash le frêne
beech le hêtre
copper beech le hêtre rouge
yew un if
lilac le lilas
elm un orme
popular le peuplier
sycamore le sycomore
fir le sapin
holly le houx

Bushes, Shrubs
bush le buisson
shrub un arbuste
ivy le lierre

Flowers
dandelion le pissenlit
pansy la pensée
rose-bush le rosier
poppy le coquelicot (wild); le pavot (cultivated)
carnation un œillet
wallflower la giroflée jaune
hyacinth la jacinthe
daisy la marguerite; la pâquerette (common)
tulip la tulipe
daffodil la jonquille
hollyhock la rose trémière
bunch le bouquet

Fruit
cherry la cerise
plum la prune
apple la pomme
pear la poire

Soft Fruit
raspberry la framboise
strawberry la fraise
blackcurrant le cassis
redcurrant la groseille rouge
gooseberry la groseille à maquereau

Parts of Plant and Tree
root la racine
stem, stalk la tige

leaf la feuille
bud le bourgeon
trunk le tronc
branch la branche
bough le rameau
berry la baie
blade (of grass) le brin (d'herbe)

Weeds
weed la mauvaise herbe
nettle une ortie
bonfire le feu de joie, le feu
  d'herbes

Soils
clay l'argile (*f*.)
chalk la craie
sand le sable
soil le sol

Vegetables and Herbs
cabbage le chou
cauliflower le chou-fleur (*pl*.
  choux-fleurs)
bean le haricot; le haricot vert
  (*green runner-bean*)
peas les petits pois
carrot la carotte
turnip le navet
radish le radis
spinach l'épinard (*m*.)
artichoke un artichaut
celery le céleri
beetroot la betterave
tomato la tomate
onion un oignon
cucumber le concombre
lettuce la laitue
mint la menthe
parsley le persil

Adjectives
fragrant odorant
back-breaking éreintant

Verbs
to grow (*trans*.) cultiver
to grow (*intrans*.) pousser
to open out s'épanouir
to fade se faner
to wither se flétrir
to mow tondre; faucher

to water arroser
to pick cueillir
to sow (seeds) semer (les graines)
to keep up maintenir, entretenir
to prune émonder (*tree*); tailler
  (*bush*)
to dig creuser, piocher
to sting, prick piquer
to neglect négliger
to weed désherber
to sweep up balayer

Phrases
a marvellous crop of weeds une
  superbe récolte de mauvaises
  herbes
to be all of a sweat être tout en
  nage
to break your back s'éreinter
to sigh for a cold drink réclamer
  un verre d'eau fraîche
to bend double se courber en
  deux
to get high blood pressure faire
  de l'hyper-tension
to throw bricks over the
  wall jeter des briques par-dessus
  le mur
to escape from the outside
  world s'échapper du monde
  extérieur
to watch the flowers
  grow regarder pousser les fleurs
to take tea on the lawn goûter
  sur la pelouse
in the shade of the old apple
  tree à l'ombre du vieux
  pommier
that bed was a blaze of colour
  last week la semaine dernière ce
  parterre était une orgie de
  couleurs
with lashings of fertiliser à
  grand renfort d'engrais
to have a wonderful show of
  dahlias avoir un déploiement
  magnifique de dahlias

Essays
Les plaisirs du jardinage.
Mon jardin.

16 Holidays and Travel Les Vacances (*f.*) et les Voyages (*m.*)

Types of Holiday
family holidays les vacances en famille
exchange visit une visite d'échange
a day's relaxation un jour de repos, de détente
an afternoon off un(e) après-midi de libre
paid holidays le congé payé
a pleasure trip un voyage d'agrément
cruise une croisière
health cure la cure
the off season la morte-saison
holiday cottage le gîte
package holiday le voyage à prix forfaitaire

People
holiday-maker le vacancier
tourist le (la) touriste
exchange pupil un(e) élève d'échange
paying guest un hôte payant
summer visitor un(e) estivant(e)
winter visitor un(e) hivernant(e)
camper le campeur
youth hosteller un(e) ajiste
customs officer le douanier
hotel manager le gérant
chambermaid la femme de chambre
page-boy, bell-hop le chasseur, le groom
lift attendant le liftier (la liftière)
courier le guide

Preparations
preparation le préparatif
travel agency le bureau de tourisme (une agence de voyage)
label (sticky) une étiquette (gommée)
route un itinéraire
passport le passeport
trunk la malle
bag la valise, le sac

timetable (*book*) un indicateur

Outdoor Holiday
camping le camping
caravan la caravane (*towed*); la roulotte (*motorised*)
youth hostel une auberge de jeunesse
hiking le marche à pied, le footing
rucksack le sac à dos
portable stove le réchaud portatif
ground-sheet le tapis de sol
sleeping-bag le sac de couchage

Money
tip le pourboire
traveller's cheque le chèque de voyage
fare le prix du voyage
exchange rate le taux du change
note le billet
change la (petite) monnaie

Adjectives
cultural culturel
home-loving casanier
far-off éloigné
costly coûteux
modestly priced à prix modéré

Verbs
to book réserver, retenir
to hike faire du footing, du tourisme à pied
to hitch-hike faire de l'auto-stop
to gape, goggle at regarder bouche bée
to pack emballer
to unpack déballer
to label étiqueter
to find one's way about s'orienter
to note, observe constater
to find out (about) se renseigner (sur)

Phrases
to be broad-minded avoir les idées larges
to have attractions for avoir des attraits, des charmes, pour
to make a fool of oneself se rendre ridicule
to improve one's knowledge perfectionner sa connaissance
to broaden one's outlook élargir ses connaissances (son horizon)
to increase international understanding faciliter les bons rapports internationaux
to have educative value avoir une valeur éducative
to have (the) wanderlust avoir la manie des voyages, avoir la bougeotte
a rolling stone gathers no moss pierre qui roule n'amasse pas mousse
to fight against prejudice combattre les préjugés
to learn at first hand the foreign way of life apprendre à connaître par soi-même les mœurs étrangères
to be at the mercy of some dishonest taxi-driver être à la merci d'un chauffeur de taxi malhonnête
I can't afford to go by air je n'ai pas les moyens de voyager par avion

a cheap form of travel un moyen économique de voyager
to have Saturday off faire la semaine anglaise
to travel at low cost voyager à peu de frais
to go touring in the U.S.A. voyager dans les U.S.A.
to be on holiday (sea, country) être en villégiature
to reduce one's luggage to a minimum réduire ses bagages au minimum

Essays
La valeur des voyages à l'étranger.
L'Anglais à l'étranger.
Les vacances les plus agréables que j'aie passées.
Les vacances en l'an 2080.
Le camping.
S'il vous était possible d'aller passer un mois en France, où iriez-vous? Donnez vos raisons.
Quel intérêt l'Angleterre offre-t-elle au touriste étranger?
Les avantages et les désavantages des vacances en famille.
L'étalement des vacances (staggered holidays).
S'il vous fallait émigrer, où iriez-vous, et pourquoi?
Comment créer des liens plus étroits entre l'Angleterre et la France?

See also 33. Seaside.

17 House La Maison

Rooms
dining-room la salle à manger
lounge le salon
hall le vestibule, l'entrée (*f.*)
study le cabinet de travail, le bureau
kitchen la cuisine
W.C. les cabinets, les waters (*m.*), les toilettes (*f.*)

playroom la chambre d'enfants, la salle de jeux
attic la mansarde
loft le grenier
scullery l'arrière-cuisine (*f.*)
larder le garde-manger
pantry le garde-manger; une office
spare room la chambre d'amis

cellar la cave
library la bibliothèque
bedroom la chambre à coucher
sun lounge la véranda
back room la chambre sur le
  derrière
shower room la salle d'eau

Exterior
front la façade
back le derrière
gable le pignon
eaves l'avant-toit (*m.*)
gutter la gouttière
drain-pipe le tuyau de descente
front door la porte d'entrée
front gate le portail

Furniture
arm-chair le fauteuil
settee le divan
writing-desk le bureau (le
  secrétaire)
drawer le tiroir
sideboard le buffet
cupboard une armoire
wall cupboard le placard
wardrobe une armoire à glace
dressing table la table de toilette
bedside rug la descente de lit
single bed le lit pour une
  personne
double bed le lit pour deux
  personnes, un grand lit
chest of drawers la commode
bed-settee, sofa bed le canapé-lit

Other Parts of House
lift un ascenseur
balcony le balcon
tile le carreau, la tuile
pane le carreau, la vitre
mantelpiece le dessus de la
  cheminée, le manteau de la
  cheminée
staircase un escalier
doorsteps le perron
step la marche
balustrade la rampe
landing le palier
partition la cloison
ceiling le plafond

floor le plancher; le parquet
  (*wooden*)
ground-floor le rez-de-chaussée
basement le sous-sol
first floor le premier étage
front door la porte d'entrée
back door la porte de service

Fitments
door knob la poignée (de porte)
hinge le gond
lock la serrure
bolt le verrou
blind le store
shutter le volet
bedside lamp la lampe de chevet
lamp-shade un abat-jour
standard lamp le lampadaire
tap le robinet
towel rail le porte-serviettes; le
  séchoir (*heated*)
bath la baignoire
wash-basin la cuvette
wash-stand le lavabo
shelf, bookcase une étagère
door knocker le marteau (de
  porte)
electric bell la sonnette
  électrique
service hatch le passe-plats
window-box la caisse à fleurs, la
  jardinière
cushion le coussin
upholstery la tapisserie
tablecloth la nappe
table-cover le tapis (de table)
cooker la cuisinière
oven le four
hob le plan de cuisson
work surface le plan de travail
point la prise
gas stove le fourneau à gaz
knick-knack le bibelot

Labour-saving Devices
boiler la chaudière
dishwasher la machine à laver la
  vaisselle, le lave-vaisselle
floor polisher la cireuse
sewing machine la machine à
  coudre

vacuum cleaner un aspirateur
washing machine la machine à laver
spin-dryer une essoreuse
refrigerator, fridge le réfrigérateur, le frigidaire, le frigo
freezer le congélateur
electric iron le fer (à repasser) électrique
mixer le mixer
mincer le hachoir
stainless steel sink un évier en acier inoxydable
pressure cooker l'auto-cuiseur (m.)
coffee percolator, coffee maker la cafetière automatique, le percolateur
coffee grinder un moulin à café
water heater le chauffe-eau
microwave oven le four à micro-ondes
eye-level grill le gril
toaster le grille-pain
electric fire le radiateur électrique
central heating le chauffage central au mazout (oil-fired); au gaz (gas-fired)
immersion heater un chauffe-liquide
paraffin stove le poêle à pétrole
thermostatic control le thermostat

Luxuries
spring mattress le sommier
fluorescent lighting l'éclairage fluorescent
concealed lighting l'éclairage indirect
water-softener un adoucisseur d'eau
fitted carpet la moquette
electric blanket la couverture chauffante
shower la douche
foam-rubber cushions les coussins (m.pl.) en caoutchouc mousse

plastic floor covering le revêtement (de sol) plastique
folding partition la cloison mobile
sliding door la porte à glissière

People
householder le chef de famille
landlord le propriétaire
tenant le locataire
builder le constructeur
decorator le décorateur
housewife la ménagère

Types of Residence
villa la villa
flat un appartement
cottage la maisonnette; la chaumière (thatched)
caravan la caravane; la roulotte (on wheels)
second home le résidence secondaire
plot le terrain
bungalow le bungalow
subsidised dwelling une habitation à loyer modéré
housing shortage la crise du logement
semi-detached house la maison jumelle

Materials
brick la brique
stucco le stuc
concrete le béton
cement le ciment
paint la peinture
wall-paper le papier peint
plastics les matières plastiques (f.)
chromium le chrome
breeze block le parpaing

Disadvantages
draught le courant d'air
dirt la saleté
dust la poussière
damp l'humidité (f.)

Adjectives
uncomfortable peu confortable

ill-lit mal éclairé
airy bien aéré
spacious spacieux
well-kept bien tenu
well-planned bien aménagé
sunny ensoleillé
air-conditioned climatisé
in good taste de bon goût
sound-proof insonore
home-loving casanier
ultra-modern ultra-moderne
damp-proof protégé de
l'humidité; hydrofuge (*wall*)

Verbs
to relax se détendre
to save (economise
in) économiser
to save (spare) épargner
to dust épousseter; dépoussiérer
(*with sweeper*)
to let in (light, etc) laisser entrer
to move house déménager
to move in emménager
to give on to donner sur
to open on to (s')ouvrir sur
to look on to avoir vue sur
to lead to accéder à
to keep house tenir la maison, le
ménage
to wash up laver (faire) la
vaisselle
to wash clothes faire la lessive
to set the table mettre le couvert
to deaden (noise) amortir (les
bruits)
to switch on (lights) allumer
to switch off (lights) éteindre
to plug in brancher
to unplug débrancher

Phrases
he lives in the rue Faidherbe il
habite rue Faidherbe
to live as one likes vivre à sa
guise
an Englishman's home is his
castle charbonnier est maître
chez lui
to have a house of one's
own avoir pignon sur rue, être
propriétaire
a lounge on a level with the
garden un salon de plain-pied
avec le jardin
furniture on casters les meubles
à roulettes
to have a house-
warming pendre la crémaillère
to get rid of back-breaking
tasks se débarrasser des corvées
éreintantes
for too long we have been
putting up with... depuis trop
longtemps nous supportons...
detergents that make your linen
really white les détergents qui
rendent le linge vraiment
éblouissant

Essays
Votre maison idéale.
Description de votre maison.
*Maison ou appartement; lequel
préférez-vous?*
*Le manque de confort dans la
maison anglaise.*
'A woman's place is in the home.'
*L'importance des économiseurs de
travail (labour-saving devices).*

18 Industry L'Industrie (*f.*)

Personnel
manufacturer le fabricant, un
industriel
tycoon, magnate, big business
man le gros industriel, le
magnat

employer un employeur; le
patron (*more familiar*)
factory manager le directeur
d'usine
shop steward le délégué syndical
foreman le contremaître

Industry

worker un ouvrier, le travailleur
apprentice un apprenti

Groups
the 'bosses', employers le
  patronat
craftsmen l'artisanat (*m*.)
the 'workers' la classe ouvrière
  (*social and political*)
trade union le syndicat
labour la main-d'œuvre

Factory
factory la fabrique; une usine; la
  manufacture (*large factory*)
workshop un atelier
workyard, work-site le chantier

Manufactured Goods
synthetic fibres les fibres (*f*.)
  synthétiques
plastics les plastiques (*m*.)
textiles les textiles (*m*.)
manufactured article le produit
  manufacturé

Power, Fuel, Raw Materials
deposit le gisement
coal (industrial) la houille
coal (domestic) le charbon
steam la vapeur
hydro-electric power la houille
  blanche
atomic/nuclear power l'énergie
  (*f*.) atomique/nucléaire
driving power la force motrice
liquid fuels les combustibles (*m*.)
  liquides
iron ore le minerai de fer
raw materials les matières
  premières

Machinery, Parts of Factory
furnace le fourneau
boiler la chaudière
hand lever la manette
conveyor belt la courroie
  transporteuse, le tapis roulant
cafeteria la cafeteria
canteen la cantine
stand le stand

robot le robot

**Types of Factory and
Industrial Areas**
refinery la raffinerie
steelworks une aciérie
blast furnace le haut fourneau
loom le métier à tisser
foundry la fonderie
coal-mine une mine de houille
spinning-mill la filature
weaving-mill le tissage
brewery la brasserie
iron works les forges (*f*.)
iron smelting (process and
  industry) la sidérurgie
power station la centrale
key industry une industrie-clé
industrial area la région
  manufacturière
mining area la région minière
nuclear/thermal/hydroelectric
  power station la centrale
  nucléaire/thermique/hydro-
  électrique

Working Conditions
part-time work le travail à mi-
  temps
overtime les heures
  supplémentaires
working day le jour ouvrable
regular employment la stabilité
  d'emploi
public holiday le jour férié
paid holidays les congés payés
piece-work le travail aux pièces
slack season la morte-saison
break la pause

Industrial Ups and Downs
boom le boom
slump la crise
recession le ralentissement, la
  récession
recovery la reprise

Economics
investment le placement
wages le salaire
salary le traitement

profit le bénéfice
loss la perte
output la production, le
rendement

Labour and Labour Troubles
lock-out le lock-out
strike la grève
striker le gréviste
unemployment le chômage
unemployed person le chômeur,
la chômeuse
unemployment benefit les
allocations (f.) de chômage
family allowances les allocations
familiales
industrial unrest une agitation
ouvrière
manpower shortage la pénurie
de main-d'œuvre
manpower surplus;
overmanning la pléthore, le
surplus, de main-d'œuvre
labour market le marché du
travail

Processes
process le procédé
mass production la production
en grande série
automation l'automation (f.)
robotization la robotisation
mechanisation le machinisme
assembly line la chaîne de
montage
electronics l'électronique (f.)

Verbs
to sign on engager
to take on (workers) embaucher
to make redundant licencier
to sack, lay off congédier,
renvoyer
to join (a union) adhérer à (un
syndicat), se syndiquer
to strike se mettre en grève, faire
grève
to earn one's living gagner son
pain
to increase
(production) accroître

to set up, get going (process,
machine) mettre sur pied
to incur (expense) encourir
to train (apprentices) former
to slow down (of
production) (se) traîner, ralentir

Phrases
those everlasting wage
claims ces éternelles
revendications
to get a good wage toucher un
bon salaire
with shirt-sleeves rolled up en
bras de chemise
the familiar din of the
factory le fracas familier de la
fabrique
the rapid rhythm of the
machines le rythme précipité
des machines
the Unions are asking for wage
increases les Syndicats
réclament des augmentations de
salaires
2000 h.p. une puissance de 2000
chevaux
to supply incentive stimuler
to be seething with
activity grouiller d'activité
to work without human
help fonctionner sans
intervention humaine
to get piece rates, to be on piece
work être payé à la tâche,
travailler à la pièce
to have 1000 workers on the
payroll compter 1000 ouvriers
to manufacture on a large
scale fabriquer sur une grande
échelle
to be made redundant être
licencié, être mis au chômage

Essays
Visite à une exposition industrielle.
Les grèves sont-elles justifiées?
Notre avenir industriel.
Description d'une usine.
L'importance des syndicats.
*Problèmes psychologiques de
l'industrie moderne.*

19 International Relations
Les Relations Internationales (ƒ.)

International Groupings
U.N.O. l'O.N.U (Organisation des Nations Unies)
Security Council le Conseil de Sécurité
N.A.T.O. l'O.T.A.N. (Organisation du Traité de l'Atlantique Nord)
S.E.A.T.O. l'O.T.A.S.E. (Organisation du Traité de l'Asie du Sud-Est)
O.P.E.C. l'O.P.E.P. (Organisation des Pays Exportateurs de Pétrole)
Atlantic Pact le Pacte (L'Alliance) Atlantique
the West l'Ouest (m.), les Occidentaux (m.pl.)
Council of Europe le Conseil de l'Europe
Common Market le Marché Commun
the Great Powers les Grandes Puissances
the neutrals les neutres (m.)
Afro-Asian bloc le bloc afro-asiatique
satellites les satellites (m.)
puppet regime le régime fantoche
third world le tiers monde
developing countries les pays sous-développés
blacks/whites les noirs/les blancs
Warsaw Pact le Pacte de Varsovie

Areas
the Middle East le Moyen-Orient
the Far East l'Extrême-Orient
West Berlin Berlin-Ouest

Cold War
the Cold War la guerre froide
Iron Curtain le rideau de fer
co-existence la coexistence
tension la tension
relaxation of tension, detente la détente
balance of power l'équilibre (m.)
non-intervention la non-intervention
propaganda la propagande
trouble spot le point névralgique
arms race la course aux armements
split la scission

Diplomatic Exchanges
step la démarche
note la note
talks les pourparlers (m.)
crisis une crise
a non-committal reply une réponse qui n'engage à rien
proposal la proposition
text, statement un énoncé

Conferences
Summit Meeting la Rencontre au Sommet
programme l'ordre (m.) du jour
agreement un accord
policy la politique
clash le heurt
sabre-rattling les menaces (ƒ.) de guerre
settlement la résolution (d'une question)
escape, escape clause une échappatoire
hard bargaining l'âpre marchandage (m.)
bluffing le bluff
blackmail le chantage
compromise le compromis
guarantee la garantie

Adjectives
hungry affamé
illiterate illettré
uncommitted, non-aligned non aligné
pro-Western pro-occidental
unstable instable

protected (of nations) sous tutelle
unanimous unanime

Verbs
to carry out (policy) mener (une politique)
to lead to aboutir à, entraîner
to guarantee (independence) garantir
to bluff bluffer
to veto mettre son veto à
to conclude (a treaty) conclure (un traité)
to break (an alliance) rompre (une alliance)
to lay down (conditions) poser, fixer (des conditions)
to woo (countries) faire des avances à
to address (a note) adresser (une note)
to be held (a conference) se tenir
to achieve (agreement) réaliser (un accord)
to deteriorate (situation) empirer, s'aggraver
to envisage envisager
to publish (a communiqué) publier (un communiqué)
to intensify (efforts, help) intensifier
to implement (policy) mettre en œuvre
to originate (in) avoir ses origines (dans)

Phrases
to carry out subversive activities exercer une action subversive
interference in domestic affairs l'immixtion dans les affaires intérieures
to show the velvet glove faire patte de velours
to play for time tâcher de gagner du temps
to say one thing and mean another ne pas dire ce qu'on pense

to put pressure on faire pression sur
to have serious repercussions avoir de graves répercussions
to oppose strength with strength opposer la force à la force
to increase one's watchfulness redoubler de vigilance
to suffer from undernourishment souffrir de sous-alimentation
to offer technical help offrir une coopération technique
to help underdeveloped areas porter aide aux régions sous-développées
to get self-determination devenir indépendant
rising population l'accroissement (*m.*) de la population
to proceed gradually procéder par étapes
to come into force entrer en vigueur
to observe strict neutrality observer une stricte neutralité
to save one's face sauver la face
to lose face perdre la face
disarmament subject to international control le désarmement soumis aux contrôles internationaux

Essays
La guerre froide.
La coexistence.
Que faut-il faire pour avoir une paix durable?
Vers un gouvernement mondial.
L'O.N.U.
'La France n'est plus une puissance de troisième ordre.' Que pensez-vous de ce jugement?

See also 38. War.

20 **Literature** La Littérature

Books, Works
work une œuvre
novel le roman
short story le conte
long short story la nouvelle
narrative le récit
sequel la suite
collection le recueil
royalties les droits (*m.*)
thriller le roman à suspense
detective novel le roman policier
love story le roman d'amour,
  sentimental
paperback le (livre de) poche

People
author un auteur; un écrivain
  (*more general*)
dramatist le dramaturge
novelist le romancier
short-story writer le conteur
essayist un essayiste
publisher un éditeur
critic le critique

Content
criticism la critique
bias le parti-pris
environment le milieu
plot une intrigue, une action
event un événement
ending le dénouement
character le personnage
subject-matter le fond
moral la morale
picture (of place, age) le tableau
illustration (picture) la gravure
climax le point culminant
local colour la couleur locale

Adjectives
dull, insipid fade
improbable invraisemblable
exciting palpitant, passionnant
commonplace banal
amusing divertissant
unequal inégal
witty spirituel
absorbing absorbant

fascinating fascinant
first-class de premier ordre

Verbs
to bring out, stress mettre en
  valeur (en lumière), faire ressortir
to flip through feuilleter
to depict dépeindre
to appear (of books) paraître
to be entitled être intitulé
to deal with traiter de
to stand out se dégager
to thicken (of plot) se
  compliquer
to point out signaler

Phrases
to be a bad judge of human
  nature juger mal la nature
  humaine
since its appearance in
  1880 depuis sa parution en 1880
he knows how to hold one's
  interest il sait soutenir l'intérêt
the novel gets off to a slow
  start le roman démarre
  lentement
its best feature is... ce qu'il a de
  meilleur, c'est...
the story drags rather l'histoire
  traîne un peu
the style leaves something to be
  desired le style laisse à désirer
I like her plays ses pièces me
  plaisent
as the story develops à mesure
  que l'histoire se déroule
the author's aim is to
  show l'auteur a pour but, se
  propose, de montrer
the book is a vehicle for his
  philosophy le livre sert de
  véhicule à sa philosophie
her book fills a long-felt
  want son livre comble une
  lacune
how can one fail to admire
  ...? comment ne pas
  admirer...?

to say that he writes well would be **superfluous** dire qu'il écrit bien serait superflu
that's not the least of its virtues ce n'est pas là son moindre mérite
every reader will be grateful that she has said... tout lecteur lui saura gré d'avoir dit...
to draw from life peindre sur le vif
to come out in (a) paperback paraître dans une collection de livres de poche, de livres brochés

Essays
Quel profit peut-on tirer de la lecture d'un roman?
Critique d'une oeuvre que vous avez lue récemment.

Un chapitre de mon autobiographie.
Dites quelle espèce de livre vous préférez pour le simple plaisir de la lecture, et expliquez les motifs de ce plaisir.
Quel plaisir trouvez-vous à la poésie? Joue-t-elle un rôle important dans la vie quotidienne?
Si l'on vous offrait à lire un livre de contes de fées ou un roman d'aventures interplanétaires, lequel choisiriez-vous?
S'il ne devait rester, de toute l'oeuvre de votre auteur préféré, qu'un seul livre, lequel conserveriez-vous? Pourquoi?
Votre bibliothèque idéale.
Quel profit avez-vous tiré de l'étude d'une littérature étrangère?
La fiction dépasse-t-elle la réalité?
La littérature et la télévision.

21 Motoring L'Automobilisme (*m.*)

Roads and Surfaces
tarred road la route goudronnée
cobbles le pavé
motorway une autoroute
bend le virage; le coude (*sharp*)
hairpin bend le virage en épingle à cheveux
crossroads le carrefour

People
driver le chauffeur (*private, also employed*); l'automobiliste (*m.*); le conducteur, la conductrice
road user un usager (de la route)
pedestrian le piéton
passenger le passager
road-hog le chauffard
garage proprietor le garagiste
garage hand le mécanicien
speed cop le motard
hitch-hiker un auto-stoppeur, une auto-stoppeuse

Parts of Car
make la marque

driving-mirror le rétroviseur
windscreen le pare-brise
dashboard le tableau de bord
bonnet le capot
clutch un embrayage
brake le frein
accelerator un accélérateur
handbrake le frein à main
engine le moteur
radiator le radiateur
wing une aile
bumper le pare-chocs
hood la capote
spare wheel la roue de secours
boot le coffre
coachwork la carrosserie
rear wheel la roue arrière
chassis le châssis
starter le démarreur
choke le starter
headlights les phares (*m.*)
indicator le clignotant
paint la peinture
carburettor le carburateur

windscreen-wiper un essuie-glace
exhaust l'échappement (*m.*)
front seat le siège avant
rear seat la banquette arrière
door handle la poignée
safety belt, seat belt la ceinture de sécurité
tank le réservoir
horn le klaxon
sliding roof, sun roof le toit ouvrant
hub-cap un enjoliveur
Motor Show le Salon de l'Auto
petrol l'essence (*f.*)
diesel le gas-oil
oil consumption la consommation d'huile
driving licence le permis de conduire

Vehicles
convertible la (voiture) décapotable
sports car la voiture grand sport, de sport
(motor) coach un (auto) car
lorry, truck le camion, poids lourd
motorbike la moto
traffic la circulation (routière)
old crock, jalopy la bagnole, la gumbarde
scooter le scooter
saloon la conduite intérieure

Traffic Aids
car park le parking, le parc à autos
Highway Code le code de la route
road safety la prévention routière
sign, notice le panneau
lights les feux (*m.*)
pedestrian crossing le passage clouté
one way street la rue à sens unique
parking meter le parc(o)mètre
crash helmet le casque protecteur

by-pass la déviation
cross-over, fly-over l'échangeur (*m.*), le passage supérieur, le toboggan
roundabout le rond-point
ring road le boulevard circulaire, périphérique
maximum speed la vitesse limite
road map la carte routière
dual carriageway la route à double voie
motorway (on motorway) une autoroute
slip road la bretelle
parking area une aire

Driving
starting le démarrage
slowing down le ralenti
acceleration la reprise, une accélération

Causes of Accidents
drunkenness l'alcoolisme (*m.*)
tiredness la fatigue
steering defect une direction défectueuse
puncture la crevaison
collision le tamponnement, la collision
skid le dérapage
breakdown la panne

Traffic Misfortunes
jam un embouteillage
congestion l'encombrement (*m.*)
tailback le bouchon
rush hours les heures (*f.*) de pointe
black ice le verglas
parking ticket le procès-verbal, le P.-V.

Adjectives
slippery glissant
unhurt indemne
underground souterrain
bumpy cahoteux
convertible décapotable
icy couvert de glace, verglacé

Verbs
to start démarrer
to run over écraser
to skid déraper
to swerve faire une embardée
to cross (another car) croiser
to consume consommer
to break down tomber en panne
to get going again dépanner
to switch on the ignition mettre
le contact
to switch off couper le contact
to brake freiner
to overturn capoter
to potter about (with repairs,
etc.) bricoler
to collide entrer en collision
to pump up gonfler
to hit heurter
to reverse (*trans.*) mettre en
marche arrière
to reverse (*intrans.*) faire
marche arrière
to park parquer, garer
to impose (a fine) infliger (une
amende)
to pass dépasser, doubler
to be thrown out être éjecté
to go along, proceed filer, rouler
to hoot klaxonner

Phrases
to fill up with four star faire le
plein de super
to be in bottom gear être en
première (vitesse)

to get into third gear passer en
troisième
to find oneself in heavy
traffic se trouver dans un trafic
intense
to go at full speed rouler à toute
vitesse
disregard of lights le non-
respect de signaux
suspension of driving licence le
retrait de permis de conduire
infringement of the Highway
Code une infraction au code de
la route
more than 700 were killed plus
de sept cents furent tués
no parking! défense de
stationner!
to miss narrowly éviter de
justesse
to pull in to the kerb se ranger le
long du trottoir

Essays
Un accident sur l'autoroute.
L'automobile—ennemi public
numéro un.
Mon père et sa bagnole.
A quelle cause attribuez-vous les
accidents routiers, et quels remèdes
proposez-vous?
Quels changements l'automobile a-t-
elle apportés dans notre manière de
vivre?

See also 37. Town.

22 Music La Musique

Instruments
stringed instrument un
instrument à cordes
wind instrument un instrument
à vent
percussion instrument un
instrument à percussion
the brass les cuivres (*m.*)
the wood-wind les bois (*m.*)
grand piano le piano à queue

cello le violoncelle
violin le violon
viola un alto à cordes
double bass la contrebasse
horn le cor
guitar la guitare
synthesizer le synthétiseur

Voices
treble le soprano; la soprano (*singer*)

alto le contralto
tenor le ténor
bass la basse
baritone le baryton
mezzo-soprano le mezzo
  (-soprano)
solo le solo
duet le duo

Accessories
bow un archet
key (of piano) la touche
lid (of piano) le couvercle
piano stool le tabouret (de piano)
stand le pupitre à musique

People
accompanist un accompagnateur
conductor le chef d'orchestre
singer le chanteur, la chanteuse
lady singer (professional) la
  cantatrice
composer le compositeur
soloist le soliste
choir le chœur

Pieces of Music
overture une ouverture
score la partition
libretto le livret
aria une aria
chamber music la musique de
  chambre

Performance
diction la diction
touch le toucher
playing le jeu
rendering, performance une
  interprétation, une exécution
acoustics l'acoustique (*f.*)
range l'étendue (*f.*)
recital le récital

Pop Music
pop singer le chanteur de
  concerts
jazz le jazz
rock le rock
folk la musique folk(lorique), le
  folk

blues le blues
punch, gusto, verve le brio
beat le rythme
tempo la cadence
ballad, lyric la romance, le
  couplet
hit (record) la chanson à succès,
  le tube (*slang*)
hit parade le hit-parade, le
  palmarès

Radios and Hi-Fi
gramophone un électrophone
recording l'enregistrement (*m.*)
L.P. (record), album le disque
  longue durée, le (disque) 33
  tours, l'album (*m.*)
single le (disque) 45 tours
record-player le tourne-disque
stereo, hi-fi system la chaîne
  stéréo, le hi-fi
record collection la discothèque
record dealer le disquaire
record-changer le changeur
  automatique
base/treble tone control la
  touche de tonalité basse/aiguë
speed control le réglage de la
  vitesse
turntable le plateau, la platine
juke-box le 'juke-box', le phono à
  sous
stylus une aiguille (de phono)
tape recorder le magnétophone
cassette recorder le
  magnétophone à cassettes
cassette player le lecteur de
  cassettes

Adjectives
raucous rauque
high-pitched aigu, aiguë
deep profond
high-brow intellectuel
low-brow philistin, terre à terre
shrill (of voice) perçant, strident
sensual sensuel
nasal nasillard
faultless impeccable

Verbs
to bawl brailler, s'égosiller

to tune accorder
to pedal appuyer sur la pédale
to hum fredonner
to whistle siffler
to render, perform exécuter
to plug in brancher
to strike up entonner
to sing in tune chanter juste
to sing out of tune chanter faux
to conduct diriger
to make a record enregistrer un disque, faire un enregistrement
to put on, play (a record) passer, jouer

Phrases
the conductor, resplendent in evening dress, mounted the rostrum le chef d'orchestre, resplendissant en tenue de soirée, gravit les degrés de l'estrade
to have twelve curtain calls avoir douze rappels, être rappelé douze fois
to have a beautiful voice avoir une belle voix
the story is a bit unrealistic l'intrigue manque de réalisme
her lovely voice has packed the concert halls sa belle voix a souvent fait salle comble

it's the only criticism of him that one could make c'est la seule critique qu'on pourrait lui adresser
I'm allergic to jazz je suis allergique au jazz
it's a popular tune of the moment c'est une rengaine à la mode
this record netted him a million dollars ce disque lui a rapporté un million de dollars
this record sold a million copies ce disque s'est vendu à un million d'exemplaires
to build up a record library se constituer une discothèque
to record an L.P. enregistrer un 33 tours
to make a devil of a noise faire un vacarme de tous les diables

Essays
Une visite à l'opéra.
Un concert d'orchestre.
Pourquoi je préfère le rock à la musique classique.
Mon tourne-disque.
La musique moderne.
La musique populaire.
Une visite à une discothèque.

See also 36. Theatre.

23 **The Navy** La Marine de Guerre

Ships
warship le vaisseau de guerre
submarine le sous-marin
minesweeper le dragueur de mines
destroyer le contre-torpilleur, le destroyer
cruiser le croiseur
battleship le cuirassé
aircraft-carrier le porte-avions
gunboat la canonnière
liberty boat la vedette (des permissionnaires)

escort vessel le navire d'escorte, un escorteur
frigate la frégate
sloop un aviso
flagship le vaisseau amiral
squadron une escadre
fleet la flotte
naval unit une unité navale

Naval Establishments
Admiralty le Ministère de la Marine; l'Amirauté
naval base le port de guerre

naval dockyard le chantier naval

Naval Ranks
ordinary seaman le matelot
leading seaman le quartier-maître
bo'sun le maître de manœuvre
petty officer le second-maître
warrant officer le maître principal
midshipman un aspirant, le midship
sub-lieutenant un enseigne de vaisseau
lieutenant le lieutenant de vaisseau
lieutenant commander le capitaine de corvette
commander le capitaine de frégate
admiral un amiral

Officer Categories
naval engineer un ingénieur mécanicien (de la marine)
paymaster officer le commissaire
gunnery officer le canonnier
submarine officer un officier sous-marinier
flag-lieutenant un officier d'ordonnance
Fleet Air Arm l'Aéronavale (f.)

Parts of Warship
ward-room le carré des officiers
quarter-deck la plage arrière
flight deck le pont d'envol
gun turret la tourelle
torpedo tube le tube lance-torpilles
powder magazine la soute aux poudres

People
ratings les matelots
shipwrecked man le naufragé
crew un équipage
survivor le survivant
lower deck le personnel non-officier

Equipment
depth charge la grenade sous-marine
missile launcher le lance-missiles
gun la pièce de bord, le canon
binoculars les jumelles (f.)

Clothing
duffel coat le duffel-coat
cap la casquette
navy blue le bleu marine
bell-bottoms le pantalon à pattes d'éléphant

Verbs
to sail naviguer
to man armer
to hoist (flag) hisser (le pavillon)
to pick up recueillir
to be missing manquer, être disparu
to submerge plonger, faire une plongée
to surface faire surface
to launch lancer
to manœuvre manœuvrer
to zigzag zigzaguer
to go down couler, sombrer
to sink couler, sombrer (*intrans.*); faire sombrer, envoyer au fond (*trans.*)
to be refitting être en radoub
to engage (the enemy) attaquer (l'ennemi)
to steer (*intrans.*) faire route
to hit (a mine) toucher (une mine)
to rejoin (one's ship) rallier (son bord)
to sight repérer
to detect (submarine) détecter

Phrases
to be in command of a sloop commander un aviso
to mount twenty guns être armé de vingt canons
to serve aboard a destroyer servir à bord (d')un contre-torpilleur

to cruise under water naviguer en plongée

Fighting
to sustain heavy losses subir de lourdes pertes
adrift in an open boat à la dérive dans une embarcation découverte
to be lost with all hands périr corps et biens
to sail in convoy naviguer en convoi
to sink by the bows couler par l'avant
to open fire at long range ouvrir le feu à longue portée

to fire a broadside (salvo) tirer une bordée (une salve)
to belch fire and smoke vomir flammes et fumée
forty of the crew are missing quarante membres de l'équipage sont portés disparus
on the high seas en pleine mer

Essays
Un combat en mer.
Voudriez-vous être officier, de marine? Donnez vos raisons.
La valeur, de nos jours, d'une flotte de guerre.

See also 34. Ships and the Sea.

24 Outer Space L'Espace Sidéral (*m.*)

Devices
device, contraption un engin
rocket la fusée
satellite le satellite
spaceship le vaisseau spatial, un astronef
space station (unmanned) la station spatiale (non habitée)
lunar module le module lunaire
space shuttle la navette spatiale
moon buggy le jeep lunaire
artificial planet la planète artificielle

Personnel
'boffin', back-room boy le savant
guinea-pig le cobaye
astronaut, spaceman un astronaute
superman le surhomme

Equipment
launching ramp (pad) la rampe (la plateforme) de lancement
lift un ascenseur
scaffolding l'échafaudage (*m.*)
gantry le chantier
spacesuit le scaphandre

wireless transmitter le poste émetteur
pressurised cabin la cabine étanche, pressurisée
recording equipment les appareils enregistreurs
fuel le carburant
stabiliser un aileron de stabilisation
count-down le compte à rebours, le compte (décompte)à zéro

Travel
space travel le voyage interplanétaire
conquest of space la conquête du cosmos
range la portée
landing on the moon un alunissage
spacewalk la marche dans l'espace
space probe la sonde spatiale

Data
scientific data les données (*f.*) scientifiques
pressure la pression

weather forecasts les prévisions (*f.*) météorologiques
weightlessness l'apesanteur (*f.*)

Verbs
to guide (by remote control) téléguider
to launch lancer
to orbit orbiter, être en orbite
to splash down amerrir
to circle the sun tourner autour du soleil
to send back (data) renvoyer
to come back safely revenir sain et sauf
to pick up (messages) capter
to refuel se ravitailler (en carburant)
to eject (a capsule) éjecter (une capsule)
to hit the moon percuter la lune
to put into orbit placer en orbite (*f.*)
to relay (signals) relayer

Phrases
to reach a height of... atteindre une hauteur de...

to be 100 miles up se trouver à 100 milles d'altitude
to get a man into space projeter un homme dans l'espace (*m.*)
to collect a capsule in mid-air happer une capsule au passage dans l'espace (en plein ciel)
it's one of the milestones in history c'est un événement historique
the limits of human endurance les limites de l'endurance humaine

Essays
'Space travel is nonsense.' Discutez.
Un voyage vers la lune.
'Il nous reste tant de choses à faire ici-bas, qu'il est fou d'essayer la conquête de l'espace.' Que pensez-vous de ce point de vue?
La valeur des voyages dans l'espace.

See also. 3. Aviation.

25 **Painting** La Peinture

Types
oil-painting la peinture à l'huile
water-colour une aquarelle
drawing le dessin
crayon drawing le pastel
woodcut la gravure sur bois
etching une eau-forte
sketch une esquisse, une ébauche, le croquis
print une estampe
masterpiece le chef-d'œuvre

Places
studio un atelier
museum le musée
exhibition une exposition
gallery la galerie

Accessories
brush le pinceau
easel le chevalet
paint-box la boîte de couleurs
canvas la toile

Content
landscape le paysage
seascape la marine

Parts of Picture
foreground le premier plan
background l'arrière-plan (*m.*) le fond

Good and Bad Points
colouring le coloris
lighting l'éclairage (*m.*)

balance l'équilibre (*m.*)

Art Criticisms
genius le génie
predecessor le devancier
model, pattern le modèle
school une école

Adjectives
dull mat
glossy brillant
vivid vif, éclatant
lifelike vivant

Verbs
to hang up accrocher
to be hanging pendre
to impress impressionner
to call to mind évoquer
to sit (for) servir de modèle (à)
to pose poser
to clash with (colours) jurer
  avec
to harmonise with se marier
  avec

Phrases
he's mad on painting (i.e., he
  likes it better than his job) il
  fait de la peinture son violon
  d'Ingres
he does a bit of painting il fait
  de la peinture
he paints like Turner il peint à
  la manière de Turner
a first-class portrait un portrait
  de premier ordre
to paint from nature peindre
  d'après nature
it has been valued at 10
  million on l'a évalué à près de
  10 millions
it's a dreadful picture c'est du
  barbouillage
it means nothing to me ça ne
  me dit rien

Essays
*Décrivez une peinture fameuse que
vous connaissez.*
Une visite à une galerie de peinture.

26 Pastimes Les Passe-temps (*m.*)

fencing l'escrime (*m.*)
foil le fleuret
billiards le billard
cue la queue
ball la bille
cannon le carambolage
cushion la bande
pocket la blouse
to pot blouser
pigeon-shooting le tir aux
  pigeons (artificiels)
pigeon-fancying la
  colombophilie
mountaineering l'alpinisme (*m.*)
pot-holing la spéléologie
driving l'automobilisme (*m.*)
riding l'équitation (*f.*)
wrestling la lutte
winter sports les sports (*m.*)
  d'hiver
skiing le ski

tobogganing la luge
jogging le jogging
walking la marche (*sport*); les
  promenades (*f.*) (*strolls*)
golf le golf
club la crosse
links le terrain de golf, le golf
scouting le scoutisme
scout le scout, le boy-scout
girl guide la guide (de France);
  une éclaireuse (*in Britain*)
scoutmaster le chef de troupe
skittles le jeu de quilles; le
  bowling
skittle alley le terrain de jeu de
  quilles; la piste de bowling
darts les fléchettes (*f.*)
bowls les boules (*f.*)
bowling green le terrain de
  boules, le boulodrome

bowling match la partie de boules
skating le patinage
skate le patin
skating rink la piste de patinage, la patinoire; le skating (*indoor*)
horse-racing la course de chevaux
racecourse un hippodrome
race meeting le concours hippique
flat race la course de plat
steeplechase la course d'obstacles, le steeple-chase
jockey le jockey
bet le pari
tote le totalisateur
start le départ
finish l'arrivée (*f.*)
tapes les rubans (*m.*)
winning post le poteau d'arrivée
hunting la chasse
fox-hunting la chasse au renard
stag-hunting la chasse à courre
pack la meute de chiens
horn le cor
game le gibier
poacher le braconnier
gun le fusil de chasse
beater le rabatteur
foxhound le chien courant
to be at bay être aux abois
fishing la pêche
trout fishing la pêche à la truite
fly fishing la pêche à la mouche
rod la canne à pêche
bait l'amorce (*f.*)
hook l'hameçon (*m.*)
camping le camping
to put up a tent monter, dresser, une tente
to catch a cold prendre froid
water-skiing le ski nautique
underwater exploration l'exploration sous-marine
diving-suit le scaphandre
diver le plongeur, le scaphandrier (*with diving-suit*)
flippers les palmes (*f.*)
snorkel le masque

return to the surface la remontée
to have good lungs avoir les poumons solides
to remain submerged rester immergé
dancing la danse
dance-hall le dancing
jazz band le jazz-band (*pl.* jazz-bands)
crafts les métiers (manuels)
pets les animaux familiers
canary le serin
budgerigar la perruche
photography la photographie
conjuring la prestidigitation
conjuror le prestidigitateur
to do tricks faire des tours (de passe-passe)
indoor games les jeux (*m.pl.*) de salon
chess les échecs (*m.*)
chessboard un échiquier
castle la tour
knight le cavalier
pawn le pion
bishop le fou
square la case
to checkmate mater, faire échec et mat
draughts le jeu de dames
draughtboard le damier
cards le jeu de cartes
bridge le bridge
whist le whist
spades le pique
diamonds le carreau
hearts le cœur
clubs le trèfle
trump un atout
ace un as
jack le valet
trick la levée
rubber la belle
to shuffle battre
to cut couper
to deal donner
children's games les jeux d'enfants
to play hide-and-seek jouer à cache-cache

kite le cerf-volant
hoop le cerceau
dance le bal
night club la boîte
pinball le flipper
electronic/computer games les
jeux électroniques

Verbs
to relax se délasser, se relaxer
to stay indoors rester à la maison
to excel at exceller à

Phrases
in my spare time à mes
moments perdus
to play badly jouer comme un
pied
to be a mere beginner n'être
qu'un(e) novice

to have a stroke of luck avoir un
coup de veine
everything went right for
me tout s'est bien passé pour
moi
he gave me a good hiding il m'a
flanqué une bonne raclée
play will begin at 3 P.M. la partie
commencera à 3 heures

Essays
Mon passe-temps favori.
La danse.
'Peut-on aimer la chasse et être ami
des bêtes?'
'Les Anglais et leurs diverses façons
de perdre leur temps.' Commentez.

See also 35. Sport.

---

27 Politics La Politique

People
citizen le citoyen
M.P. le député (French); le
parlementaire (British)
politician le politicien, l'homme
politique
Prime Minister le Président du
Conseil (French); le Premier
Ministre (British)
Minister of Labour le Ministre
du Travail
Minister of Education le
Ministre de l'Éducation nationale
newly elected member le nouvel
élu
Home Secretary le Ministre de
l'Intérieur
Foreign Secretary le Ministre
des Affaires Étrangères
Chancellor of the Exchequer le
Ministre des Finances (French);
le Chancelier de l'Échiquier
(British)
Speaker le Président
Civil Servant le fonctionnaire

party leader le chef de parti
(French); le leader (British)
Cabinet Minister le Ministre
d'État
statesman un homme d'état

Parliamentary Procedure
speech le discours
bill le projet de loi
sitting la séance
meeting (of Cabinet) la réunion
debate le débat
referendum le référendum

Groupings
State l'État (m.)
party le parti
opposition l'opposition (f.)
ministry le ministère
Cabinet le Conseil des Ministres
(French); le Cabinet (British)
Shadow Cabinet le Cabinet
fantôme
Upper Chamber le Sénat
(French); la Chambre des Lords
(British)

Lower Chamber l'Assemblée nationale (*French*); la Chambre des Communes (*British*)
the Socialists les Travaillistes (*British*), les Socialistes (*French*)
the Liberals les Libéraux
the Social Democrats les Sociaux-démocrates
the Tories les Conservateurs
the 'authorities' les pouvoirs (*m.*) publics

Adjectives
bitter acharné
rowdy tapageur
stormy (debate) orageux, houleux
deafening assourdissant

Budget Problems
income le revenu
expenditure la dépense
unbalanced budget le budget déséquilibré

Election
seat le siège
election une élection
elector un électeur
public opinion poll le sondage de l'opinion
constituency la circonscription
universal suffrage le suffrage universel
seven-year term le septennat
electoral campaign le campagne électorale
polling booth le bureau de vote
voting paper le bulletin de vote
floating vote les voix (*f.*) des indépendants, des indécis
deposit le cautionnement

Verbs
to resign se démettre
to make (a speech) prononcer (un discours)
to support (a motion) soutenir, appuyer (une motion)
to reject rejeter
to vote voter

to settle (a problem) résoudre (un problème)
to meet se réunir, se rassembler
to elect élire
to return (to Parliament, *trans.*) renvoyer
to preside over présider
to introduce (a bill) présenter, déposer (un projet de loi)
to pass (a law) voter (une loi)
to forfeit (deposit) perdre (son cautionnement)

Phrases
he entered politics 40 years ago il entra dans la politique il y a quarante ans
to go to the polls aller aux urnes
to call on someone to speak donner la parole à quelqu'un
to gain a small majority obtenir une faible majorité
I'm giving my vote to the Tories je donne ma voix aux Conservateurs
the usual crowd of unsolved problems la masse habituelle de problèmes en suspens
to break one's word manquer à sa parole
to put up as a candidate se porter candidat

Essays
Vous êtes candidat à une élection parlementaire. Rédigez votre programme électoral.
La politique en Angleterre.
Un Français à Westminster.
Une campagne électorale en Angleterre.
Votre plus grande ambition, est-ce de devenir homme politique?
La carrière du politicien.
La vie et la mort d'un politicien célèbre.
'Seuls les pessimistes font de la politique.' Discutez.
En qualité de Premier Ministre vous prononcez un discours où vous exposez vos principes. Quels sont ces principes?

28 The Press La Presse

Newspaper
daily le quotidien, le journal
weekly l'hebdomadaire (*m.*)
newsprint le papier de journal
tabloid le tabloïd
gutter press la presse à scandales

Newspaper Items
piece of news la nouvelle
news les nouvelles
cartoon le dessin
strip-cartoon, comic strip la bande dessinée, la B.D.
serial story le feuilleton
sports report la chronique sportive
book review la critique littéraire
editorial un éditorial, un article de fond
leader un article de tête
the headlines les grands titres
small advertisements les petites annonces
large advertisement la réclame, la publicité
picture l'illustration (*f.*), la photographie
obituary notice le faire-part de décès
crossword le mot croisé
gossip les échos (*m.*)
financial news la chronique financière
News in Brief faits divers
snapshot, shot un instantané

Divisions
headlines le titre; la manchette (*sensational*)
column la colonne
section (political, sporting, fashion, horse-racing) la rubrique (politique, sportive, de la mode, hippique)

People
gossip-writer un échotier
subscriber un abonné
editor le rédacteur

reporter le reporter
photographer le photographe; le caméraman (*with cine-camera*)
special correspondent un envoyé spécial

Sales, etc.
News Agency une Agence de Presse
newspaper stall le kiosque
newsvendor le vendeur de journaux
newsagent la marchand de journaux
censorship la censure
copy un exemplaire

Magazines
comic un journal amusant
periodical la revue, le périodique
magazine (illustrated) le magazine

Magazine Features
picture la gravure
love story une histoire d'amour
recipe la recette de cuisine
dress pattern le patron
beauty hints les conseils (*m.*) de beauté
glossy paper le papier brillant, couché

Adjectives
daring osé, audacieux
bold tranchant
objective objectif
sordid sordide
trivial trivial, banal

Verbs
to come out paraître
to subscribe to s'abonner à, être abonné à
to muzzle (the Press) museler (la presse)
to libel diffamer (par écrit)

Phrases
it's the mouthpiece of the
  Socialist party c'est le porte-
  parole du parti travailliste
mass circulation paper un
  journal à grand tirage
known for its excellent
  reporting connu pour ses
  excellents reportages
to concentrate on sex and
  violence se spécialiser dans le
  sensuel et le violent
to intrude on someone's
  grief venir troubler la douleur
  de quelqu'un

to print 3 million copies tirer à
  3 millions d'exemplaires
on the front page, on page
  one en première page, à la une

Essays
Mon journal favori.
La presse en Angleterre.
L'influence de la presse.
Quelles limites donneriez-vous à la
  liberté de la presse?
Mémoires d'un reporter.

---

29 Radio and Television La Radio et La Télévision

Video/Hi-fi Equipment
1. Radio
set le poste, le récepteur
transmitting set le poste
  d'émission; un émetteur
  (*portable*)
portable set le poste portatif
transistor le transistor
knob le bouton
aerial une antenne
valve la lampe
loudspeaker le haut-parleur
battery la pile
accumulator un accumulateur
microphone le micro(phone)
point, plug la prise
dial le cadran
video cassette recorder le
  magnétoscope
video cassette la vidéocassette

2. T.V.
T.V. set le téléviseur, l'appareil de
  télévision
screen un écran
cathode-ray tube un tube à
  rayons cathodiques

Services
broadcasting la radiodiffusion
broadcast une émission
good reception la bonne audition

poor picture une image
  défectueuse
good picture une image nette
channel la chaîne
network le réseau
commercial T.V. la télévision
  commerciale
telerecording l'enregistrement
  (*m.*)
telefilm le film télévisé
cable television la télévision par
  câbles, la télédistribution

Physical Phenomena
atmospherics les parasites (*m.*)
long wave les grandes ondes
medium wave les ondes
  moyennes
short wave les ondes courtes
wave-length la longueur d'onde
tuning le réglage
action replay la répétition (d'une
  séquence)
frequency modulation la
  modulation de fréquence

People
producer le producteur
viewer le téléspectateur
listener un auditeur
moron un abruti

comic le comique
radio ham l'amateur de radio, le radio-amateur
cameraman le caméraman; un opérateur (*in studio*)
broadcaster le chroniqueur (-euse), le speaker
interviewer un interviewer
disc-jockey le présentateur (des disques), le disc-jockey
newscaster; announcer le speaker, la speakerine; le présentateur, la présentatrice

Programmes
documentary le documentaire
serial le feuilleton, le téléroman
soap opera le feuilleton sentimental
weather forecast le bulletin métérologique, les prévisions (*f.*) du temps, la météo
news bulletin le bulletin d'actualités, d'informations
newsreel, T.V. news le journal télévisé
repeat la reprise
panel game le jeu télévisé
quiz le jeu-concours télévisé
advertisement une réclame, une publicité
variety les variétés (*f.*)
light music la musique légère
sports report le commentaire (reportage) sportif
interview une interview (avec une célébrité)
schools programme l'émission (*f.*) scolaire
chamber music la musique de chambre
interval la pause
performance la représentation
instalment le numéro, l'episode (*m.*)
script le script, le texte
time signal le signal horaire
magazine programme le magazine

Adjectives
short-sighted myope

harmful (effect) nocif, nuisible

Verbs
turn on allumer (le poste)
to turn off fermer, éteindre (le poste)
to plug in brancher
to switch on (electricity) allumer (une lampe), mettre en marche
to pick up (station) capter
to sponsor patronner
to view regarder
to listen in être à l'écoute
to tune in (to) régler (sur)
to turn up (the sound) augmenter (le son)
to advertise faire de la publicité

Phrases
to tire one's eyes looking at the screen se fatiguer les yeux à regarder l'écran
T.V. has changed the life of the man in the street la télévision a transformé la vie de l'homme de la rue
it's just a form of escape ce n'est qu'un moyen d'évasion
to satisfy the need of relaxation satisfaire à un besoin de détente
hours of passive viewing des heures de passivité
a slave of the 'telly' un(e) esclave de la télé
to plug programmes with advertisements intercaler des réclames dans les émissions
to attract as many viewers as possible attirer le maximum de téléspectateurs
to ruin the eyesight user la vue, les yeux
to keep children up late encourager les enfants à se coucher tard
programmes punctuated with adverts des émissions ponctuées de publicités
tenth-rate American films des films américains de dernier ordre

Essays
La radio devant la concurrence de la télévision.
La télévision, ennemi public numéro un.
L'influence de la télévision est-elle salutaire ou nuisible?

La télévision décourage-t-elle la lecture?
Le rôle de la télévision dans l'enseignement.
Êtes-vous pour ou contre la télévision commerciale?

30 Railway Le Chemin de Fer

Engine
diesel engine la locomotive diesel
tender le tender
brake le frein
buffer le tampon
whistle le sifflet
front l'avant (*m.*)
funnel la cheminée
smoke la fumée
underground train la rame (du Métro)

Train
compartment le compartiment
corridor le couloir
luggage rack le filet
communication cord la sonnette d'alarme
window la glace
door la portière
communicating door la porte de communication
sleeping car le wagon-lit
restaurant car le wagon-restaurant
seat (row of seats) la banquette
cab la cabine
guard's van le fourgon de queue
W.C. le cabinet de toilette
smoker le compartiment fumeurs
non-smoker le 'non-fumeurs'
'concertina' (passage between two coaches) le soufflet
rolling stock le matériel roulant

Station
station la gare; la station (*smaller station, also Underground*)
escalator un escalier roulant

booking office le guichet
timetable un horaire (*poster*); un indicateur (*book*)
platform le quai
barrier la barrière
stairway l'escalier (*m.*)
cloakroom la consigne
waiting room la salle d'attente
exit la sortie
refreshment room le buffet
bookstall le kiosque
subway le passage souterrain

People
station-master le chef de gare
guard le chef de train
driver le mécanicien
stoker le chauffeur
inspector le contrôleur
porter le porteur
railwayman le cheminot
plate-layer un ouvrier de la voie
breakdown gang une équipe de secours
season-ticket holder un abonné
rescuer le sauveteur

Types of Train
express le rapide
fast train un express
slow train un omnibus
goods train le train de marchandises
main line train le train de grande ligne
workmens' train le train ouvrier
turbotrain le turbotrain
A.P.T. (advanced passenger train) le T.G.V. (train grande vitesse)

down train le train montant
up train le train descendant
excursion train le train de plaisir
passenger train le convoi de
voyageurs
diesel rail car un autorail

Luggage
luggage les bagages (*m.*)
trunk la malle
bag le sac
case la valise
package le colis
trolley le chariot
label une étiquette
luggage ticket le bulletin (de
bagages)

Journey
whistling, hissing le sifflement
rocking, pitching le tangage
rolling le roulis
crash la collision, le
tamponnement
derailment le déraillement

Track
track la voie
rail le rail
points l'aiguillage (*m.*)
sleeper la traverse
signal le signal
signal-box la guérite à signaux
cutting le déblai, la tranchée
embankment le remblai
level-crossing le passage à niveau
curve la courbe
gauge l'écartement (*m.*) de la voie
marshalling-yard la gare de
triage
network le réseau (ferroviaire)
buffer le butoir
gradient la rampe (*up*), la pente
(*down*)

Tickets
single le billet simple
return le billet aller et retour
season ticket la carte
d'abonnement
cheap ticket le billet à prix réduit

workman's ticket la carte de
travail
platform ticket le billet de quai
luggage ticket le bulletin de
consigne

Adjectives
dreary triste, morne
out-of-date périmé
unhurt indemne

Verbs
to accelerate accélérer
to slow down ralentir
to brake freiner
to start s'ébranler
to shunt manœuvrer, aiguiller
to pick up prendre
to set down déposer
to register (luggage) enregistrer
to wave (flag) agiter
to crash s'écraser
to pile up s'entasser
**to start upon, tackle (a
curve)** amorcer (une courbe)
to break (journey) interrompre
to come off the rails dérailler
to punch (ticket) composter,
poinçonner

Phrases
**to arrive at the stated
time** arriver à l'heure prévue
the signal is up (against us)
le signal est fermé
the signal is down le signal est
ouvert
the train thundered past le train
passa avec un bruit de tonnerre
**the train was twenty minutes
late** le train avait un retard de
vingt minutes
**a train coming from
Manchester** un train en
provenance de Manchester
45 m.p.h. 75 km à l'heure
is there a connection for ...?
y a-t-il une correspondance
pour ...?
**to rush through the station at
full speed** brûler la gare à toute
vapeur (vitesse)

to get in the train monter en wagon, en voiture

seat facing the engine une place dans le sens de la marche du train

to sit with one's back to the engine être assis dans le sens contraire de la marche du train

to look up a train consulter l'indicateur

to turn on (off) the heating ouvrir (fermer) le chauffage

how long do we stop? combien (de minutes) d'arrêt?

to put on three (four) times the number of trains tripler (quadrupler) les trains

to search among the wreckage fouiller parmi les décombres

electrification is being slowly carried out l'électrification se poursuit lentement

to increase speed without endangering safety augmenter la vitesse sans compromettre la sécurité

Essays
La journée d'un mécanicien.
Les chemins de fer britanniques.
Quelques progrès ferroviaires.
Quel est l'avenir du chemin de fer?
Un tamponnement (un déraillement).
Une aventure en chemin de fer.

31 Religion La Religion

Religious Occasions
Christmas Noël (*m.*)
Easter Pâques (*m.*)
Whitsun la Pentecôte
Shrove Tuesday Mardi gras
Ash Wednesday Mercredi des cendres
Good Friday Vendredi saint
Lent le Carême
Palm Sunday le Dimanche des Rameaux

Religions
christianity le christianisme
Catholicism le catholicisme
Protestantism le protestantisme
Mohammedanism l'islamisme (*m.*)
Judaism le judaïsme
Hinduism le hindouisme
atheism l'athéisme (*m.*)

Officials
priest le prêtre
curate, parish priest le curé
parson, vicar (Protestant) le pasteur

bishop un évêque
archbishop un archevêque
pope le pape
sidesman le marguillier

Other Persons
sinner le pécheur, la pécheresse
believer le croyant
Christian le chrétien
Jew le juif
atheist un athée
martyr le martyr
choir le chœur
choirboy un enfant de chœur, le chantre
chorister le choriste
organist un organiste
worshippers les fidèles (*m.*)
congregation l'assistance (*f.*)
bell ringer le sonneur (de cloches), le carilloneur

Parts of Service
service un office (*Catholic*); le service, le culte (*Protestant*)
mass la messe
communion la communion

preaching la prédication
sermon le sermon
hymn une hymne
anthem une antienne
chant la psalmodie
psalm le psaume
children's address le catéchisme
prayer la prière
baptism le baptême
funeral les funérailles (*f.pl.*)
wedding (in church) le mariage
religieux
wedding (at register office) le
mariage civil
organ recital le récital d'orgue

Buildings
church une église
cathedral la cathédrale
chapel la chapelle
abbey une abbaye
graveyard le cimetière
pew le banc d'église
pulpit la chaire
lectern le lutrin
choir stalls les stalles (*f.pl.*)
parish la paroisse
bishopric un évêché

Essential Items
hymn book le recueil de
cantiques
Bible la Bible
prayer book le livre de messe, le
paroissien
candle le cierge
collection plate le plateau
incense l'encens (*m.*)
organ un orgue, (*f.*) (*pl.* de
grandes orgues)
cross la croix

Beliefs
faith la foi, la croyance
hell l'enfer (*m.*)
heaven le ciel
salvation le salut
purgatory le purgatoire
angel un ange
God le bon Dieu
Christ Jésus-Christ

the Virgin Mary la Sainte Vierge
the Devil le Diable
sin le péché
Holy Ghost le Saint-Esprit

Adjectives
holy saint
pious pieux
impious impie
irreligious irréligieux
hypocritical hypocrite
immoral immoral
tolerant tolérant
indifferent indifférent
in Sunday-best endimanché
outworn périmé
pagan, heathen païen

Verbs
to worship (God) adorer
to sin pécher
to baptise baptiser
to practise (a religion) pratiquer
to pray prier
to bend the knee faire la
génuflexion, s'agenouiller
to convert convertir
to believe (in) croire (en)
to take Mass célébrer la messe
to attend Mass assister à la messe
to confess confesser
se repentir (de)
to repent (of)
to marry (a couple) marier (un
couple)
to bless bénir
to denounce dénoncer
to deal with traiter (de)
to preach about faire un sermon
sur . . .

Phrases
to take up the collection faire la
quête
to sing out of tune chanter faux
to sing in tune chanter juste
to drone the prayers débiter les
prières d'une voix monotone
to read out the notices lire les
annonces de la semaine

to go into the dark
interior pénétrer dans le sombre
intérieur
he's always been a regular
church-goer il a toujours été
assidu aux offices
to go to Church willy-nilly aller
bon gré mal gré à l'église
they practise what they
preach ils prêchent d'exemple

Essays
*Un service religieux auquel j'ai
assisté.*
L'Angleterre, pays païen.
Mon église.
Un missionnaire célèbre.

See also 1. Architecture.

32 Science La Science

People
technician le technicien
scientist le savant, l'homme de
science
physicist le physicien
chemist le chimiste
engineer un ingénieur
biologist le biologiste

Sciences
chemistry la chimie
physics la physique
engineering la mécanique
electronics l'électronique (*f.*)
cybernetics la cybernétique
genetics la génétique
laboratory le laboratoire
computer science/data
processing l'informatique (*f.*)

The Mind
mind l'esprit (*m.*)
morals la moralité
brain le cerveau
intellect l'intelligence (*f.*)
research la recherche
discovery la découverte
inventiveness l'esprit (*m.*)
d'invention
technical progress le progrès
technique

Discoveries, Achievements
achievement la réalisation
X-rays les rayons X (*m.*)
electricity l'électricité (*f.*)

internal combustion engine le
moteur à combustion interne
descent to the ocean
bed descente au fond de la
mer en bathyscaphe
anaesthetic un anésthésique
hydro-electric power l'énergie
(*f.*) hydro-électrique
atomic energy l'énergie (*f.*)
atomique
splitting the atom la
désintégration de l'atome (*m.*)
radar le radar
automation l'automation (*f.*), la
robotisation
calculator la calculatrice, la
calculette
penicillin la pénicilline
flying le vol
space travel les voyages dans
l'espace, interplanétaires
vaccination la vaccination
inoculation l'inoculation (*f.*)
artificial
insemination l'insémination
artificielle
colour television la télévision en
couleurs
birth control la limitation des
naissances, la conception dirigée
contraception la contraception
contraceptive pill la pilule
anticonceptionnelle

Energy
solar energy l'énergie (*f.*) solaire

nuclear/thermal/tidal power station la centrale nucléaire/thermique/marémotrice
energy conservation la conservation de l'énergie
energy consumption la consommation de l'énergie
exploitation l'exploitation (*f.*)
natural gas le gaz naturel
crude oil le pétrole brut
energy crisis la crise de l'énergie
petrol l'essence (*f.*)
to waste gaspiller
to produce electric current produire, générer un courant électrique

Information Science— Computing
computer l'ordinateur (*m.*)
keyboard le clavier
computer programme le programme
computer printout la sortie d'imprimante; le listage, le listing
(computer) printer l'imprimante (*f.*)
data processing l'informatique (*f.*)
monitor l'appareil (*m.*) de contrôle
(silicon) chip la puce (de silicium)
microfilm le microfilm
systems analyst l'analyste (*m.f.*) de systèmes
computer network le réseau d'ordinateurs
floppy disk le disque souple, la disquette
visual display (V.D.U.) l'unité (*f.*) de visualisation, le visuel, le visu
to key in coder (l'information); introduire par clavier
to programme programmer

Evils
H-bomb la bombe H
poison gas le gaz toxique

bacteriological warfare la guerre bactériologique
radio-active fall-out les retombées radioactives
genocide le génocide

Evils to be Remedied
traffic accidents les accidents (*m.*) de la circulation
incurable illnesses les maladies (*f.*) incurables
drought la sécheresse
smog le 'smog', la pollution atmosphérique
soil erosion l'érosion (*f.*) du sol
refugees les réfugiés (*m.pl.*)
racialism le racisme
floods les inondations (*f.*)
anti-semitism l'anti-sémitisme (*m.*)
undernourishment la sous-alimentation
illiteracy l'analphabétisme (*m.*)
noise le bruit

Verbs
to save (labour) économiser (le travail)
to test soumettre à un test
to experiment expérimenter
to reason raisonner
to drive mener, faire marcher
to perfect mettre au point
to poison empoisonner
to wipe out (populations) anéantir
to set off (fission) amorcer (la fission)
to tax (powers) mettre à l'épreuve
to popularise vulgariser

Phrases
to improve the lot of human beings améliorer la condition humaine
to alleviate human suffering alléger la souffrance humaine

a cure for T.B. (polio, cancer) un remède contre la tuberculose (la poliomyélite, le cancer)
in the field of medicine dans le domaine de la médecine
to lead a fuller life mener une vie plus large
to help under-developed regions aider les pays sous-développés
an increase in the output of energy un accroissement de la production d'énergie
our mental progress outruns our moral development notre progrès mental va plus vite que notre développement moral

Essays
Les progrès des sciences, ont-ils créé un meilleur monde?
La vie et l'œuvre d'un(e) savant(e) éminent(e).
'Nous courons le risque de périr par nos propres inventions.' Discutez.
Dans le monde moderne, l'étudiant des sciences a une plus grande valeur que l'étudiant des humanités. Que pensez-vous de ce jugement?
Le savant a-t-il la responsabilité de faire un meilleur monde?
La journée d'un savant célèbre.
La bombe H.
Un savant français.
La découverte la plus importante de ce siècle.
Discutez les rapports entre l'homme de science et la société.
La vie en l'an 2020.

33 Seaside Le Bord de la Mer

Amusements
arcades les arcades (*f.*)
clock golf le jeu de 'clock-golf'
water-skiing le ski nautique
slot machine le distributeur automatique
fun fair le parc aux distractions, la foire
maze le labyrinthe
swimming pool la piscine
bathing hut la cabine (de plage)
pier la jetée
shelter un abri
boarding house la pension
speedboat la vedette, le hors-bord
sailing boat le voilier
wind surfing la planche à voiles
marina la marina

Persons
landlady la patronne, la propriétaire
summer visitor un(e) estivant(e)

holiday-maker un vacancier, une vacancière
boarder le, la pensionnaire
old salt le loup de mer
windsurfer le véliplanchiste

Geography
beach la plage
cliff la falaise
sand-hill la dune
sand le sable
shingle les galets (*m.*)
breakwater le brise-lames
rock pool la mare
high-tide la marée haute
low tide la marée basse
seaside resort la station balnéaire
campsite le (terrain de) camping

Clothes
beach robe le peignoir de bain
bathing costume le maillot
bathing trunks le caleçon de bain
bikini le bikini

sun hat le chapeau de soleil
shorts le short
rope soled shoes les espadrilles
(f.)
bathing cap le bonnet de bain
underwater goggles les lunettes
sous-marines
flippers les palmes (f.)

Accessories
sun-glasses les lunettes (f.) de
soleil
sun-tan oil (lotion) l'ambre (m.)
solaire
spade la bêche
pail, bucket le seau
shrimping net le haveneau, la
truble

Seaside Wildlife
whelk le buccin
shrimp la crevette
cockle la clovisse, la coque
mussel la moule
crab le crabe
lobster le homard
jellyfish la méduse
seaweed les algues (f.)
seagull la mouette

Adjectives
balmy doux
salty salé
invigorating vivifiant

Verbs
to fleece, swindle tondre
to paddle barboter, faire
trempette
to gambol gambader
to bathe se baigner
to swim nager
to stake (at Casino) miser
to dress s'habiller
to undress se déshabiller
to take a header piquer une tête
to get a tan brunir, bronzer
to sunbathe prendre un bain de
soleil
to go windsurfing faire de la
planche à voiles

Phrases
to get a breath of fresh
air prendre une bouffée d'air frais
a tempestuous sea une mer en
furie
a howling gale une tempête
furieuse
dirty weather un sale temps, un
temps de chien
a heat-wave une vague de chaleur
to hang about till lunch flâner
jusqu'à l'heure du déjeuner
to queue four abreast outside
restaurants attendre devant les
restaurants en colonnes par quatre
people with transistors des gens
armés de transistors
there's nowhere to undress il
n'y a pas d'endroit pour se
déshabiller
it's an absolute dump c'est un
véritable trou
to get the tips of your toes
wet tremper le bout du pied
to be suntanned avoir la peau
bronzée
his skin's peeling il a la peau qui
pèle
to build sand-castles bâtir des
châteaux de sable
to get out of one's depth perdre
pied
to be carried away by the
current être entraîné par le
courant
lovely sea trip! magnifique
balade en mer!
the sea's only a stone's throw
from the boarding-house la
mer n'est qu'à deux pas de la
pension
freshly painted boats les
bateaux repeints à neuf
mass exodus le Grand Départ

Essays
Une noyade (Death by drowning).
Une semaine à Blackpool.
Skegness ou St. Tropez?

**See also 16. Holidays and
Travel.**

69

34 Ships and the Sea Les Bateaux (*m.*) et la Mer

Types of Vessel
steamer le vapeur, le steamer; le paquebot (*with mail and passengers*)
Atlantic liner le transatlantique
cargo vessel le cargo
fishing boat le bateau de pêche
tug le remorqueur
trawler le chalutier
launch la chaloupe
dinghy le youyou
barge, lighter le chaland, la péniche
ferry le bac; le ferry(-boat)
lifeboat le canot de sauvetage
tanker le pétrolier, le navire-citerne
raft le radeau
wreck une épave
hovercraft l'aéroglisseur (*m.*) l'hovercraft (*m.*)
hydrofoil l'hydrofoil (*m.*)
supertanker le pétrolier géant, le supertanker

Parts of Vessel
hull la coque
bows l'avant (*m.*)
stern l'arrière (*m.*)
stern-post un étambot
keel la quille
hatch le panneau; une écoutille (*hatchway*)
hold la cale
propeller une hélice
rudder le gouvernail
deck le pont
helm le barre
gangway la passerelle (de service)
fo'c'sle le gaillard d'avant
alleyway la coursive
rails le bastingage
flag le pavillon
bridge la passerelle (de commandement)
derrick le mât de charge
stabiliser le stabilisateur (de roulis)
engine la machine

boiler la chaudière
plimsoll line la ligne de Plimsoll

Parts of Liner
swimming pool la piscine
dance floor la piste de danse
smoking-room le fumoir
promenade deck le pont-promenade
cabin la cabine
bunk la couchette
port-hole le hublot
deck-chair le transatlantique
covered deck la promenade vitrée, le pont-abri

In Harbour
landing-stage le débarcadère
crane la grue
jetty, pier la jetée
buoy la bouée
lighthouse le phare
home port la port d'attache

Discomforts
sea-sickness le mal de mer
rolling le roulis
pitching le tangage

People
sailor le marin
ship-owner un armateur
chief mate le second
engineer le mécanicien
stoker le chauffeur
radio operator le radio (de bord)
officer of the watch un officier de quart
purser le commissaire
pilot le pilote
stevedore, docker le débardeur, le docker
survivor le survivant
castaway le naufragé
stowaway le (passager) clandestin

Equipment
jersey le chandail, le jersey
life-belt la bouée de sauvetage

compass la boussole
sou'wester (hat) le suroît

Natural Features
coast la côte (*from sea*); le rivage
  (*from land*); le littoral (*coast-line*)
iceberg un iceberg
reef le récif
cape le cap

Sea
swell la houle
wake, wash le sillage
current le courant
bottom, sea bed le fond
wave la vague, la lame; les flots
  (*m.*) (*poetic*)
spray l'embrun (*m.*)
crest (of wave) la crête
foam l'écume (*f.*)

Weather
sea air l'air marin
mist la brume
squall le grain

Adjectives
heavy (sea, weather) gros
calm calme
rough agité
covered with foam (with white
  horses) moutonneux
choppy haché, clapoteux

Verbs
to go aground, founder échouer
to sink couler, sombrer
to anchor mouiller
to go ashore débarquer
to go on board s'embarquer
to be wrecked faire naufrage
to launch lancer
to go under enfoncer
to capsize chavirer
to be drowned se noyer
to weigh (cast) anchor lever
  (jeter) l'ancre
to rise and fall se balancer
to be sick avoir le mal de mer
to collide with aborder, entrer en
  collision avec

to call (at a port) faire escale
to cross (the Atlantic) traverser,
  faire la traversée de (l'Atlantique)
to coast côtoyer, longer (*hug the
  shore*); faire le cabotage (*sail
  coastwise*)
to put into service mettre en
  service
to lay down mettre en chantier
to engulf, swallow up engouffrer
to land débarquer
to berth s'amarrer
to ram aborder, éperonner

Phrases
its cruising speed is 25 knots sa
  vitesse de croisière est de 25
  nœuds
it's an oil-burning vessel ce
  vaisseau est chauffé au mazout
it's leaving for Buenos Aires il
  est en partance pour Buenos
  Aires
it's not seaworthy il n'est pas en
  état de naviguer
it's a veritable floating
  hotel c'est un véritable hôtel
  flottant
to fly the French flag battre
  pavillon français
tossed by the waves ballotté par
  les flots
to brave the elements tenir tête
  aux éléments
he was knocked down by a huge
  wave il fut renversé par un paquet
  de mer
handed over to the will of wind
  and wave livré au caprice du
  vent et des vagues
to be a good sailor avoir le pied
  marin
to get engine trouble avoir une
  panne de machines
man overboard! un homme à la
  mer!
to be lost with all hands se
  perdre corps et biens
to put to sea prendre le large

to be off Cape Finistere être au
large du Cap Finisterre
to steer for Genoa mettre le cap
sur Gênes
to come alongside
(vessel) accoster
to take on fresh water prendre
de l'eau douce
she's got 2000 tons of diesel oil
aboard il transporte 2000 tonnes
de gas-oil

to get a radio signal recevoir une
communication par radio

Essays
Un naufrage.
Une croisière (A cruise).
*Si un oncle riche vous offrait un
voyage gratuit à New York, iriez-
vous en avion ou en paquebot?
Donnez vos raisons.*

See also 23. Navy.

35 **Sport** Le Sport

Swimming *La natation*

diving-board le tremplin
deep end le grand bain
swimming bath la piscine
breast stroke la brasse
side stroke la marinière
crawl le crawl
dive le plongeon
to swim overarm nager à
l'indienne
to float faire la planche
to dive plonger

Boxing *La boxe*

heavy-weight le poids lourd
light-weight le poids léger
bantam-weight le poids coq
feather-weight le poids plume
fly-weight le poids mouche
punch le punch
knock-out le knock-out
round le round
ropes les cordes (*f.*)
ring le ring
sawdust la sciure
boxer le boxeur
referee un arbitre
weigh-in la pesée
to throw in the towel jeter
l'éponge
he was knocked out il a été mis
knock-out

victory on points la victoire aux
points
he got a black eye il a eu l'œil au
beurre noir
to stagger back to one's
corner retourner vers son coin
en titubant
to be down for the count rester
sur le plancher pour le compte
the bell went le gong a résonné

Athletics *L'athlétisme (m.)*

sprint la course de vitesse, le
sprint
hundred metre hurdles le cent
mètres haies
long distance race la course de
fond
relay race la course de relais
obstacle race la course
d'obstacles
javelin la javelot
discus le disque
high jump le saut en hauteur
pole jump le saut à la perche
long jump le saut en longueur
tug of war le tir à la corde
track la piste
lane le couloir
tape la bande d'arrivée
stop watch le chronomètre
athlete un athlète
runner le coureur

jumper le sauteur
to sprint faire un sprint
to put the weight lancer le poids
to clear the bar franchir la barre

Tennis *Le tennis*

forehand le coup droit
backhand le revers
drive le drive
smash le smash
cannonball service le service
  canon
volley la volée
rally la passe de jeu
men's singles le simple-
  messieurs
men's doubles le double-
  messieurs
ladies' doubles le double-dames
mixed doubles le double-mixte
court le court, le terrain de tennis
stop netting l'entourage (*m.*)
net le filet
in the 'tramlines' dans le couloir
base line la ligne de fond
whites la tenue blanche
love zéro
deuce égalité
van in (out) avantage dedans
  (dehors)
love game jeu blanc
foot fault la faute de pied
net! net!
double fault double faute
point le point
Davis Cup la Coupe Davis
tennis player le tennisman
champion un as
to hoist a lob faire (hisser) un
  lob, lober
to knock up faire des balles
to return renvoyer
to put out (ball) envoyer hors jeu
to go up to the net monter au
  filet
to be in form être en forme
to win the match gagner la
  partie

Golf *Le golf*

club la crosse de golf
links le terrain de golf

to drive jouer une crossée
to hole out poter

Rowing *Le canotage, le rowing,
l'aviron (m.)*

regatta la régate
boat race la course de bateaux
cox le barreur
stroke le chef de nage
bow le nageur de tête
winning post le poteau d'arrivée
to win by a canvas gagner par
  une épaisseur de toile

General Terms
semi-final la demi-finale
final la finale
round le round, la reprise, la
  manche
meeting (sporting) le meeting
cup la coupe
championship le championnat
lap une étape
heat une éliminatoire
opponent un adversaire
supporter le supporter
trainer, coach un entraîneur
winner le gagnant
fan le fervent
official un officiel
record holder le recordman (*pl.*
  les recordmen)
title holder le détenteur du titre
team spirit l'esprit (*m.*) d'équipe
well-matched équilibré

Verbs
to go in for (a sport) pratiquer
  (un sport)
to cover (distance) couvrir
to train (*intrans.*) s'entraîner
to give oneself up to s'adonner à
to sign (autographs) signer (des
  autographes)

Phrases
what's the score? quel est le
  score?

**to beat the record held by
X** battre le record détenu par X
**professionalism is not common
in that game** dans ce sport, le
professionnalisme n'est pas
répandu
**to put up an excellent
performance** réaliser une belle
performance
**to hold one's own with the
best** rivaliser avec les meilleurs
**to prefer brains to
brawn** préférer le cerveau aux
muscles
to come in well ahead arriver
largement en tête
**to beat the record by a tenth of
a second** battre le record d'un
dixième de seconde
to be handsomely beaten être
largement battu
he's a real sportsman c'est un
beau joueur; c'est un sportsman,
un sportif

to lose narrowly perdre de
justesse

Essays
*Le professionnalisme dans les
sports—est-il bon ou mauvais?*
*'Notre amour du sport nous rend
tout à fait ridicules.' Discutez.*
*Les grands concours internationaux,
tels que les Jeux Olympiques,
favorisent-ils l'amitié entre les
peuples?*
Mon sport favori.
*'Le sport n'est qu'une méthode
frivole de gaspiller le temps.'
Discutez.*
*Un match passionnant auquel vous
avez participé (ou que vous avez
vu).*
*La pratique des sports, doit-elle être
obligatoire dans les écoles?*
*Un exploit remarquable dans les
annales du sport.*

See also 26. Pastimes.

36 **Theatre** Le Théâtre

Parts of Theatre
stage la scène
safety curtain le rideau de fer
scenery le décor
footlights la rampe
wings les coulisses (*f.*)
auditorium, house la salle
pit le parterre
stall le fauteuil d'orchestre
gallery le paradis, le poulailler
box la loge
circle le balcon
cloakroom la vestiaire
dust sheet la bâche
box-office (window) le guichet
lobby le foyer
poster une affiche

Persons
attendant une ouvreuse
producer le metteur-en-scène
audience le public

prompter le souffleur
repertory company la troupe à
demeure
cast la distribution
stage manager le régisseur
theatre-goer un habitué
dramatist la dramaturge
critic le critique
juvenile lead le jeune premier
actor, acresss le comédien, la
comédienne

Performance
acting le jeu
play la pièce (de théâtre)
plot une intrigue
character le personnage
part le rôle
rehearsal la répétition
performance la représentation
applause les applaudissements
(*m.*)

job, engagement un engagement
interval un entr'acte
review, criticism la critique
first night la première
curtain raiser le lever de rideau

Adjectives
exciting palpitant, passionnant
boring ennuyeux
trite banal
amusing divertissant

Verbs
to clap battre des mains,
  applaudir
to hiss siffler
to fail échouer, faire un four
to boo huer
to book (seat) louer
to make up maquiller
to rehearse répéter
to subsidise subventionner
to take off, withdraw retirer
to put on (play) monter
to slate, pan, tear to shreds (of
  critics) éreinter

Phrases
to go on the stage faire du
  théâtre
to turn professional passer
  professionnel
to sound curtain-up frapper les
  trois coups
he always plays Julius Caesar il
  joue toujours Jules César
she's on tour elle est en tournée
to have a role worthy of one's
  talents avoir un rôle à sa taille

to have a resounding
  success avoir un succès
  retentissant
full house salle comble
to be in evening dress être en
  tenue de soirée
to book seats in advance louer
  les places d'avance
she acts with great skill elle joue
  avec beaucoup de talent
there'll be a heavy demand for
  seats les places seront très
  demandées (courues)
standing room only places
  debout
the play didn't get across la
  pièce n'a pas passé la rampe
the curtain rises at 8 sharp on
  lève le rideau à huit heures
  précises
to post house-full
  notices afficher 'complet'

Essays
Une visite au théâtre.
*Êtes-vous pour, ou contre, un
  Théâtre National?*
*Comparez une pièce française que
  vous connaissez bien avec une pièce
  anglaise traitant un sujet analogue.*
*Critique imaginaire, dans un
  journal, de la première d'une pièce
  française célèbre.*
*'Le but du théâtre est d'instruire,
  celui du cinéma est de divertir.'
  Discutez.*

See also 4. Cinema.

37 Town La Ville

Parts of Town
suburbs la banlieue; les
  faubourgs (*less respectable*)
district le quartier
circumference le périmètre
dormitory suburb la banlieue-
  dortoir

housing estate la cité; le
  lotissement
industrial estate la zone
  industrielle

Town Features
main square la grand-place

circus (at road intersection) le rond-point
skyscraper le gratte-ciel (*pl.* les gratte-ciel)
Town Hall l'Hôtel (*m.*) de Ville, la Mairie
department stores les grands magasins
park le jardin public
playground le terrain de jeu
block of flats un immeuble
bus station la gare routière
swimming bath (open air) la piscine en plein air
bandstand le kiosque à musique
flower bed le parterre
car park le parking, le parc à autos
shopping centre le centre commercial
illuminated sign la réclame lumineuse
hypermarket l'hypermarché (*m.*)
supermarket le supermarché
pedestrian precinct la zone piétonnière

Persons
architect un architecte
town-planner un urbaniste
pedestrian le piéton
motorist un automobiliste
city-dweller le citadin
commuter le navetteur, la navetteuse
Town Councillor le Conseiller municipal

Materials
materials les matériaux (*m.pl.*)
concrete (reinforced) le béton (armé)
aluminium l'aluminium (*m.*)
glass le verre
steel l'acier (*m.*)
asphalt l'asphalte (*m.*)

Drawbacks
alley la ruelle
slums les taudis (*m.pl.*)
slum area le bas quartier

waste ground le terrain vague
hoarding le panneau d'affichage
scaffolding l'échafaudage (*m.*)
advertisement la réclame
exhaust fumes les gaz (*m.pl.*) d'échappement (*m.*)
ribbon development l'extension (*f.*) linéaire
built-up areas les agglomérations (*f.*)
soot la suie
pneumatic drill le marteau pneumatique
liquid efflux les eaux (*f.pl.*) d'égout (*m.*)
traffic jam un embouteillage
polluted air l'air pollué
poisonous fumes les fumées toxiques

Aesthetic Qualities
symmetry la symétrie
mixture of styles le mélange de styles
lack of planning le manque de plan
lack of proportion la disproportion
arrangement la disposition
ugliness la laideur

Amenities
town planning l'aménagement (*m.*) des villes, l'urbanisme (*m.*)
by-pass la déviation
ring-road le boulevard circulaire, périphérique
slum clearance la suppression des taudis
green belt la ceinture verte
open spaces les espaces verts
smokeless zone la zone sans fumées
one-way street la rue à sens unique
roundabout le rond-point, le carrefour à sens giratoire
fly-over le passage supérieur, le toboggan
underpass le passage souterrain

Adjectives
tasteless sans goût
tortuous tortueux
residential résidentiel
unhealthy malsain
busy (of streets) animé
teeming, swarming grouillant
noisy bruyant
sprawling étalé
heavy (traffic) intense

Verbs
to put up ériger, élever
to by-pass contourner
to clash jurer
to bring out, show up mettre en
valeur
to sprawl s'étaler
to harmonise (with) se marier,
s'harmoniser (avec)
to clean up faire le nettoyage
to cover with smoke enfumer
to dirty souiller
to beautify embellir
to date (from) dater (de)
to radiate rayonner
to connect (two parts of a
town) relier

to commute faire le va-et-vient,
voyager avec un abonnement

Phrases
to lay out sports
grounds aménager des terrains
de sport
to have 300,000
inhabitants compter trois cent
mille habitants
he has gone to live there il y a
élu domicile
the population is going up by
500 each month la population
s'accroît de 500 par mois
to have easy access to shops être
à portée des magasins
to lack communal
activities manquer d'activités
sociales

Essays
Une ville de l'avenir.
Ma ville idéale.
Ma ville.
Les horreurs de la vie urbaine.

See also 6. Commerce and
21. Motoring.

38 War La Guerre

Modern Weapons
conventional weapons les armes
conventionnelles, classiques
rocket la fusée
rocket with nuclear warhead la
fusée à tête nucléaire
nuclear submarine le sous-
marin nucléaire
Polaris missile la fusée Polaris
long-range missile le missile à
longue portée
H-bomb la bombe H (bombe à
hydrogène)
poison gas le gaz toxique
explosive charge la charge
explosive
launching pad la rampe de
lancement

nuclear test un essai (une
expérience) nucléaire
operational base la base
(d'opérations)
target la cible
neutron bomb la bombe à
neutrons
missile launcher le lance-
missiles
cruise missile le missile de
croisière
atomic/chemical/nuclear
weapons armes
atomiques/chimiques/nucléaires

Terrorism
terrorist le/la terroriste

terrorist bombing l'attentat (*m.*) à la bombe
hostage l'otage (*m.*)
victim la victime
letter bomb la lettre piégée
arson l'incendie (*m.*) volontaire
assault l'assaut (*m.*)
ransom le rançon
security check le contrôle de sécurité
hijacker le pirate de l'air

Effects of Modern War
radiation la radiation
blast le souffle
radio-active fall-out les retombées radio-actives, les déchets radio-actifs
radio-active dust la poussière radio-active
burns les brûlures (*f.pl.*)
survival la survie
rubble les décombres (*m.*)

Defence
Geiger counter le compteur Geiger
radar screen un écran de radar
underground shelter un abri souterrain

War and Politics
causes of war les causes de la guerre
hostilities les hostilités (*f.*)
call-up l'appel (sous les drapeaux) (*m.*)
arms race la course aux armements
striking power la force de frappe
deterrent effect l'effet de dissuasion
a ban (on tests) une interdiction (des essais)
exchanges of information les échanges (*m.*) d'informations
unilateral/multilateral disarmament le désarmement unilatéral/multilatéral

Persons
aggressor un aggresseur

spy un espion
War Minister le Ministre de la Guerre
arms manufacturer le fabricant d'armes
casualties les morts et les blessés (*m.pl.*)
hostage un otage
brass-hat un officier d'état-major
rebel un insurgé
peace protester le manifestant/la manifestante pour la paix

Adjectives
neutral neutre
uncommitted non engagé
harmful nocif
war-mongering belliqueux
bacteriological bactérologique
devastating dévastateur
supersonic supersonique
chemical chimique

Verbs
to start (a war) déclencher (une guerre)
to fight (a battle) livrer (une bataille)
to intervene intervenir
to declare (war) déclarer (la guerre)
to provoke provoquer
to break out (of war) éclater
to stockpile constituer des réserves
to rage (of war) sévir, faire rage
to issue (an ultimatum) lancer (un ultimatum)
to explode (a bomb) faire exploser (une bombe)
to rain down upon s'abattre sur
to diminish (tension) diminuer (la tension)
to commit an act of aggression se livrer à une aggression
to carry out (reprisals) exercer (des représailles, *f.pl.*)
to detect (explosion, radiation) détecter, déceler
to liquidate liquider

to **contaminate** contaminer
to **ban (a bomb)** proscrire,
  interdire
to **test** tester, éprouver examiner
to **abduct** enlever (qn)
to **capture** capturer (qn)
to **blackmail** faire chanter (qn)
to **assassinate** assassiner
to **air lift** transporter par avion
to **mediate** agir en médiateur
  (entre)
to **negotiate** négocier
to **sabotage** saboter

Phrases
by all means short of war par
  tous les moyens à l'exclusion de
  la guerre
to **observe a strict**
  neutrality observer une stricte
  neutralité
to **do great damage** faire de
  grands dégâts
to **be inaccurate (of**
  guns) manquer de précision
radar station will give warning
  of the attack les postes de radar
  vont déceler l'attaque
to **increase the desire for**
  peace accroître le désir de paix
to **sign a surrender**
  document signer l'acte de
  reddition
hopes of speedy victory l'espoir
  d'une victoire rapide

to **wave the olive**
  branch brandir le rameau
  d'olivier
we're at war with the
  Russians nous sommes en
  conflit avec les Russes
busy perfecting their
  weapons occupés à mettre leurs
  armes au point
to **live in fear of another**
  war vivre dans la peur d'une
  nouvelle guerre
to **be on a war footing** être sur le
  pied de guerre
to **have an effective range of**
  1000 km. avoir un rayon d'action
  de 1000 km
to **inflict heavy losses** infliger de
  lourdes pertes
to **carry out a scorched earth**
  policy pratiquer la tactique de la
  terre brûlée
to **give four minutes'**
  warning donner quatre minutes
  d'avertissement, de préavis

Essays
Les conséquences d'une nouvelle
guerre.
La guerre ancienne et la guerre
moderne.

See also **2. Army; 3. Aviation;**
15. International Relations;
23. Navy.

Additional phrases (of particular value for abstract topics)

Comment

Nowadays no-one thinks such a thing De nos jours, personne ne pense chose pareille

It's a very difficult question to answer C'est une question fort difficile à résoudre

But there is another side to the question Mais il y a le revers de la médaille

I agree with this opinion Je suis d'accord sur ce point

Let us assume that this is so Mettons qu'il en soit ainsi

I doubt whether this is so Je doute que ce soit vrai

But it is not so Mais il n'en est pas ainsi

The following are the factors that have to be reckoned with Voici les facteurs qui entrent en ligne de compte

But here again one must be careful Mais ici encore il faut se méfier

The situation admittedly leaves much to be desired La situation, de l'aveu général, laisse beaucoup à désirer

This theory does not hold water Cette théorie ne tient pas debout

One must weigh the pros and cons Il faut peser le pour et le contre

There are plenty of people who think so Il y a bon nombre de gens qui sont de cet avis

Such a view is hardly warranted Il serait abusif de le prétendre

I don't think much of this argument De cet agrument je fais peu de cas

By its very nature such an argument is false De par sa nature même, un tel argument est faux

Nothing can make me believe it Rien ne saurait me le faire croire

I shall go thoroughly into the question Je vais approfondir la question

This remark is not to the point (is irrelevant) Cette observation manque d'à-propos

People attach much importance to this theory On attache beaucoup d'importance à cette théorie

If we examine the question more closely, we shall see the facts in a different light Si nous examinons la question de plus près nous verrons les faits sous un jour différent

Frankly, I don't believe it Franchement, je n'y crois pas

By way of example, let us quote ... A titre d'exemple, citons ...

Let us glance at this point of view Considérons brièvement ce point de vue

Let us suppose they are right Supposons (supposé) qu'ils aient raison

This is one of the questions of the hour C'est une des questions à l'ordre du jour

Linkages

furthermore, moreover qui plus est; par-dessus le marché; au surplus; du reste

in a sense dans un sens

however that may be quoi qu'il en soit

after due consideration toute réflexion faite
truth to tell à vrai dire, à la vérité
and rightly so et pour cause; à bon droit; à juste titre
it's the same with il en est de même de
first of all tout d'abord
in theory en théorie; théoriquement
in large measure dans une large mesure
without doubt sans aucun (nul) doute; à n'en pas douter
in a word, in short en résumé; bref
on the other hand en revanche; par contre
and, strange to say... et, chose curieuse,...
in principle en principe
far from it loin de là
in my opinion à mon avis
apparently apparemment; à ce qu'il paraît; semble-t-il; paraît-il
in point of fact par le fait, en fait
in this respect à cet égard
so that, and so si bien que (+ *Indicative*)
in many respects à beaucoup d'égards
in every respect à tous les égards
at first sight à première vue
let it not be thought that... qu'on n'aille pas croire que...
in one way or another de façon ou d'autre; d'une manière ou d'une autre
in other words en d'autre termes
certainly, if you like si l'on veut
need one add that...? est-il besoin d'ajouter que...?
in particular notamment
all the more (because) d'autant plus (que)
in any case de toute façon, en tout cas
hence de là
the fact remains that... toujours est-il que...

it's still true to say that... on peut encore dire que...
naturally bien entendu
it's a surprising fact that... fait surprenant, c'est que...
let's admit that... mettons (admettons) que...
by general admission de l'aveu général
whether we like it or not qu'on le veuille ou non
a point to be borne in mind is... chose à retenir, c'est que...
it's to be noted that... il est à noter que...
some say that... d'aucuns prétendent que...
one is tempted to conclude that... on est tenté de conclure que...
to such an extent that... à tel point que...
while admitting that... tout en admettant que...
all in all à tout prendre; en fin de compte; tout compte fait
according to all the evidence de toute évidence
in all probability selon toutes probabilités
in other words en d'autres termes; autrement dit
on all these heads sur tous ces chapitres
setting this argument aside cet argument mis de côté
all the same tout de même; n'empêche que (+ *Indicative*)
some say...but others... certains disent que...mais d'autres...
to believe such people à en croire de telles gens
taking this into account compte tenu de ceci
or, better still ou, mieux encore (qui mieux est)
it's doubtful whether... on peut se demander si...
but, one may say,... mais, dira-t-on,...

it can be objected that... on
  objectera que...
on that point là-dessus
in its turn à son tour
the annoying thing
  is l'embêtant, c'est que...
true il est vrai
to quote au dire de
as far as one can judge autant
  qu'on puisse en juger
by and large, on the whole à
  tout prendre
it's tantamount to saying, one
  might as well say autant dire
  que
just as, in the same way as de
  même (que, *before clause*)
by a paradox de façon
  paradoxale
on some points sur certains
  points
even more, how much the
  more à plus forte raison
it's a reason for believing c'est
  une raison de croire
it would be an exaggeration to
  say il serait exagéré de dire
in other circumstances en
  d'autres circonstances
on the one hand... on the
  other d'une part...d'autre part
basically dans le fond, au fond
all the more because... d'autant
  plus que...

Some abstract topics
'L'union fait la force.'
*Dans le monde moderne, il est
impossible de dire toujours la
vérité.*
*'Nous sommes responsables d'à peu
près tous les maux dont nous
souffrons.'*

*'L'argent est la source de tous les
maux.'*
*Peut-on parler d'un caractère
national?*
*'We would do well to attend to the
French; we are so unlike them.'*
Le dimanche anglais.
*Lequel est le plus important: parler,
lire, ou écrire une langue
étrangère?*
*Les hommes et les femmes devraient-
ils recevoir le même salaire?*
Le patriotisme.
*'Les gens heureux n'ont pas
d'histoire.'*
*Le bien et le mal dans la vie de nos
jours.*
*'Du sublime au ridicule il n'y a
qu'un pas.'*
Le bonheur.
*Dans quel sens peut-on dire que tous
les hommes sont égaux?*
*Il faut lire les auteurs plutôt que les
critiques.*
*'Le sabre est toujours battu par
l'esprit.'*
La propagande.
La personnalité.
Le pessimisme.
Les superstitions populaires.
'A quelque chose malheur est bon.'
*(It's an ill wind that blows no-one
any good.)*
'Un point à temps en épargne cent.'
(A stitch in time saves nine.)
*La cuisine anglaise. (English
cooking.)*
*Ce n'est pas dans la nouveauté, c'est
dans l'habitude, que nous trouvons
les plus grands plaisirs.*
*Faut-il toujours dire la vérité aux
malades?*

Enrich your French!

The following words tend to be overworked. To give one's French the necessary variety of language, they might well be replaced by one or other of their 'synonyms':

Aimer adorer (*emphatic*); être passionné de, se passionner pour (*to be very keen on*) (*objects*); être un fervent de (*to be an enthusiast for e.g., sports*); plaire à (*impersonal*)—e.g., cette fleur lui plaît.

Aller rouler (*cars*); marcher (*to function*); naviguer (*ships*).

Aller (à) se rendre à (*to make one's way to*); s'approcher de (*to come near*); s'avancer vers (*to go towards*); se diriger vers (*to make one's way towards*).

Ami le camarade; le compagnon (*tends merely to mean a person you are doing something with*); le copain (*pal*).

Appelé intitulé (*books*); nommé.

Apporter amener (*person*).

Après ensuite (*next*); plus tard (*later*)—*adverbs*; *N.B.*—sa tâche finie, il..., (*after he finished his task, he...,*)

Avoir posséder; être doué de (*natural faculties—e.g., intelligence*); jouir de (*to enjoy*); être muni de (*equipped with something necessary—e.g., un passeport*).

Beaucoup de bien des; de nombreux...; un grand nombre de; énormément de.

Bon fort (*e.g., fort en latin*); sage (*well-behaved*).

Comme (*like*) tel(le) que.

Commencer entamer (*battle, conversation, etc.*); débuter (*intrans., to make a first appearance*); commencer à = se mettre à.

Dans dans le domaine de (*e.g., in literature, we find that...*).

Demeurer dans habiter.

Dire déclarer, affirmer (*emphatic*); prétendre (*to claim*); annoncer; s'écrier (*to exclaim*); faire (*an interjection*).

Entrer dans pénétrer (*with some difficulty*) dans.

Être se trouver (*position, place*); se montrer (*to show oneself to be, prove to be*).

Faire construire (*rather laboriously—e.g., a machine*); fabriquer (*in factory*); rendre (*before adjective*).

Finir (*trans.*) terminer, achever; (*intrans.*) cesser (*e.g., noise*); se terminer (*an appointed end—e.g., term, exam.*).

Garçon élève (*at school*); gamin (*on street*); gosse (*lad, kid*). Un garçon français = un jeune Français.

Il y a il existe (*there is, there are, to be found*); on trouve; se trouve(nt).

Jeune fille fillette (*small*); demoiselle (*young unmarried*); élève (*at school*); une jeune fille anglaise = une jeune Anglaise.

Livre le volume; le tome—e.g., dictionnaire en quatre tomes.

Maintenant de nos jours (*nowadays*); à l'heure actuelle, actuellement (*at the present moment*).

Partir s'en aller.

Penser croire (*to believe*); être d'avis (*to be of the opinion*); méditer, réfléchir; trouver, juger (*to consider*); songer (*to dream, muse*).

Quelquefois il arrive que...

Pouvoir savoir (*to know how*); être à même de, être en mesure de (*to be in a position to*).

Prendre enlever quelque chose à quelqu'un (*to take away*); saisir une occasion (*to take an opportunity*); tenir (*a house, a villa*); passer (*exam.*). *N.B.*—il faut une heure pour arriver.

Regarder contempler (*fixedly*).

Savoir apprendre (*a piece of news*); ne pas savoir = ignorer.

Travail un œuvre (*e.g.*, de Molière); un effet—*e.g.*, la médecine a fait son effet; un emploi—e.g. il est sans emploi; une tâche, une besogne (*specific job of work*).

Travailler fonctionner, marcher (*to function, go*); labourer (*to till*).

Très bien, fort, extrêmement.

Trouver découvrir (*to discover*); rencontrer (*to come across*); apprendre (*to find out*).

Venir arriver; sortir (*e.g.*, d'une famille aristocratique); résulter (*e.g.*, qu'est-ce en résultera?); s'élever à (*to come to, add up to*); provenir de (*to stem from*).

Voir remarquer (*to notice*); apercevoir (*to catch sight of*); s'apercevoir de (*to be aware of*).

Vouloir désirer; avoir envie de; souhaiter (*in greetings—e.g.*, je vous souhaite un bon Noël).